探索歷史新天地，
飽覽歷史新智慧。

歷史新天地

◎本書原由金城出版社以書名《中國古代奇技淫巧》出版（1998年5月），
經由原出版者授權本公司在台灣地區出版發行。

歷史新天地㊸

生活偏方寶典

作　　者／高　峰
主　　編／黃　驗
責任編輯／黃怡瑗

發 行 人／王榮文
出版發行／遠流出版事業股份有限公司
台北市 100 南昌路二段 81 號 6 樓
郵撥帳號：0189456-1
電話：(02) 2392-6899　傳眞：(02) 2392-6658
香港發行／遠流〈香港〉出版公司
香港北角英皇道 310 號雲華大廈 4 樓 505 室
電話：(852)2508-9048　傳眞：(852)2503-3258
售價／港幣67元

著作權顧問／蕭雄淋律師
法律顧問／王秀哲律師・董安丹律師
行政院新聞局局版臺業字第1295號

版 刷 次／初版一刷／2005 年 3 月 15 日
ISBN／957-32-5441-7
定　　價／新臺幣200元（缺頁或破損的書，請寄回更換）

YLib 遠流博識網
http://www.ylib.com
E-mail : ylib@ylib.com

生活偏方寶典

歷史新天地㊸

高峰◎編

出版緣起

王榮文

歷史，是人類最龐大、最珍貴的知識庫。

「歷史知識庫」所儲存的史料，是數千年來人類智慧的結晶。西方學者休姆說：「有史以來，全人類盡在我們的面前接受檢閱，我們還可能想像何種景象會比這更壯觀、多變而有趣？」

壯觀而有趣的歷史，不斷地以掌故、成語以及其他各種形式，重現在現代經驗中。不少公衆人物脫口而出便是一段歷史，把現代事務與歷史經驗做了鮮活的比擬，譬如：

——政權輪替後，新的執政黨自我期勉說：過去扮演張飛，現在要當孔明。

——中央與地方財政收支劃分引起軒然大波，地方首長說：這是中央政府「二桃殺三士」！

——企業領導人，舉諸葛亮與司馬懿性格之差異，隱喻自己與競爭對手不同的領導風格。

具有經驗價值的史事，膾炙人口，成爲範例、典故，是後世解決類似問題的借鏡；這些歷史資產，在公衆人物的援引或發揮下，更貼近了現代經驗。我們可以這樣說：歷史與現在，如影隨形。對照整個「歷史知識庫」可以發現——千百年來，歷史事件不斷重演，經驗不斷複製，所以英語中有句格言說："History repeats itself"，只要我們用心探索，一定可以在歷史知識庫中找出「歷史與現在」的各種關聯，找到了借鏡。

「歷史知識庫」像一座大觀園，五花八門，諸多智產、寶物庋藏何處，難以查索。這座知識庫最迫切需要的是：讀取系統的建立。

【歷史新天地】叢書，試圖建立一種讀取系統——從浩瀚的歷史中切入，整理其中具有現代啓示的部分，注入活水，化爲實用知識；【歷史新天地】叢書更將探索一種可能性——當歷史可以古爲今用時，是否也預含了對未來的創造？

我們希望這一個探索與嘗試，可以讓【歷史新天地】兼具了「歷史的入口處」與「未來的接駁站」兩種功能；更期望「歷史」的範疇，在新天地中放大——今天之前，就是歷史；每一種產業及其文化，都可以發掘歷史。

這是一個重新解讀歷史、改變用途的時代，讓我們一起來探索歷史的新天地，飽覽歷史的新智慧！

【編輯筆記】

永遠時髦的話題：生活偏方

小時候只要一打嗝，媽媽就說：「去吃一匙砂糖吧！」說也奇怪，每當一匙砂糖嚼下肚，無論嗝打得多厲害，都會立即停止。後來爲了貪圖美味，將砂糖改成冰糖，效果同樣神奇，甚至比喝水、暫時停止呼吸或被人嚇還來得有效。

現在雖然科技進步，食衣住行也更加便利，但生活上的瑣碎小問題，仍不時困擾著多數人，例如居家收納要怎麼做，才會使空間看起來更清爽？衣服沾到醬汁時要怎麼洗，才不會留下痕跡？洋蔥要怎麼處理，切時才不會流淚？如何消除睡眠造成的臉部浮腫？如何快速解除宿醉？用完的寶特瓶、破掉的絲襪可以廢物利用嗎？杯裡的茶垢怎麼清除？寵物亂抓家具怎麼辦……於是，電視媒體、報章雜誌或網路上出現各式各樣的生活小偏方，有些是口耳相傳，有些是經驗分享，有些嘗試後沒什麼效果，有些卻成效驚人。

古人其實也會爲一些生活瑣碎的問題困擾，並試圖解決它們。有趣的是，某些生活小問題，即使到了現代，同樣令人困擾，如插在瓶子裡的鮮花，要怎樣處理才能讓它們開得更久？臉上的雀斑、皺紋該怎麼消除？如何讓禿頭生髮？失眠時怎麼辦？珠寶的眞僞怎麼判定？蒼蠅、螞蟻等害蟲要怎樣驅除？如何判定蜂蜜是真的還是假的？

《生活偏方寶典》從一百二十本古書當中，精選了四百五十則與食衣住行育樂相關的祕方、祕術、經驗談，有些即使到現在都還很實用。而為了進一步確定某些偏方是否確實可行，我們還特地做了實驗，如第三百四十八則的「方形鴨蛋製作法」，我們便按照古書上的記載，以醋浸鴨蛋七天，再放入盒中泡清水，結果鴨蛋雖然變軟，卻未能固定成方形（詳見第二百二十一頁）。又如第兩百六十六則的「生薑擦貓耳可急取貓尿」，我們依古書記載，用生薑摩擦三隻家貓的耳朵，結果貓咪們毫無反應（詳見第一百七十三頁）……此外像是宋代沈括在《夢溪筆談》裡提到丁香荔枝（一種肉多核小的大荔枝）栽培法，經清代果農試種後，發現所說有誤；不過北魏賈思勰在《齊民要術》裡記載的胭脂製作法，經內蒙古大學化學系學者實驗，果然製作成功。

古人不見得了解物理、化學、醫學、動植物學，但從前人的經驗累積，以及自己的不斷嘗試裡，還是發現了許多實用的生活偏方。可別小看這些老祖宗的智慧，說不定哪一天，它會是某項熱門商品或發明的靈感來源。

生活偏方寶典

目錄

第三章 茶酒美食 85

第八章 相命之術 245

第九章 鑑定之術 273

【注】本書所收錄的偏方當中，有些屬於外用或內服的藥方，由於古今劑量、名稱不同，因此僅供參考，若無醫師處方箋，不宜輕易嘗試。

【歷史新天地43】

生活偏方寶典

第一章

美容養生

01 金色密陀僧（楊貴妃養顏祕方）

曾經「回眸一笑百媚生，六宮粉黛無顏色」的唐代美女楊貴妃，生得冰肌雪膚，容顏生光。據傳她用的美容法是唐宮第一妙法，也是楊貴妃親自創製的：用金色密陀僧一兩，研成極細的粉末，加入人乳或蜂蜜調成薄糊狀，每夜蒸熱後敷臉，次日一早洗去，久而久之，自然顏面嬌嫩，瑩瑩生光了。

——取材自《福壽眞經》

【注】密陀僧是中藥的一種，為方鉛礦提煉銀、鉛時，沉積在爐底的氧化鉛，能消腫、殺蟲、收斂、防腐，但含有毒性，即便只是拿來敷臉，也最好有醫師處方箋，以免使用過量，造成鉛中毒。

02 皂角妙用（養顏祕方）

有人憂愁過度，未老先衰，有的人因勞累而造成滿臉皺紋，面上點點斑跡。有一祕術可令人青春常在，嬌艷無比。用黑丑八兩，皂角三兩，天花粉、零陵香、長甘松、白芷各二兩，磨成細末，洗臉時擦於皮膚，可使皮膚變得潤滑白淨，增添無窮魅力，嫩如嬌花。

——取材自《傳家寶》

【注】黑丑即牽牛花黑色的種子（白色種子稱「白丑」），具利尿、消腫的功能。皂角為古代的「香皂」，有消炎、抗菌的功效。

03 唾液塗臉（護顏祕術）

容顏憔悴，是因操心過度、忙碌不休所致。可在每日清晨靜坐閉目，凝神存養，將兩手搓熱，敷臉十次，再以唾液塗臉，按摩數次。如此行之半月，則皮膚滑嫩細緻，容光煥發。有道是：慾寡心虛氣血盈，自然五臟得和平，衰顏仗此增光澤，不羨人間五等榮。

——取材自《析疑指迷論》

04 桃花粉末（美顏祕方）

有一種祕方可使女子隨意變換容貌，想紅則紅，想白則白：用冬瓜仁五兩，白楊皮二兩，桃花四兩，混在一起磨成粉末，每天飯後服下，每日服三次，每次一匙。欲使臉色白淨，則加冬瓜仁；欲使膚色粉紅，則加桃花。十天之內，臉蛋即可白淨細嫩；五十天後，全身肌膚滑潤如玉，可謂冰肌雪膚、花容月貌，令人魂蕩。

——取材自《肘後方》

【注】冬瓜仁（冬瓜子）與桃花具有養顏美容的功效，白楊皮解毒清熱，同樣具有護膚的功效。不

過既是內服藥方，最好經醫師診斷後再使用比較妥當。

05 只飲人乳（美女駐顏法）

侯君集，其家有三位美人，容色絕代，據說她們不常吃飯，多飲人乳。

——取材自《錦繡萬花谷》

【注】人乳在中國古代一直是美容養顏的重要處方，據說慈禧太后即是以每天喝人乳來使青春永駐。

06 人乳加白酒（青春祕方）

用白菊花一兩，梨子榨汁半碗，白果一兩，白蜜一兩，人乳半盅，白酒半盅，先將白菊花與梨汁加酒蒸成濃汁，再將白果搗爛，和蜜汁共研。睡覺的時候，用此擦臉面，次日早上再洗去，用不了多少日子，便可以花容月貌，顏如童子了。

——取材自《奇方類編》

【注】由於含有蜜汁，敷此面膜睡覺時，恐有蟲蟻侵擾之虞。此外，敷臉的時間最好不要超過二十分鐘，以免越敷越乾，造成反效果。

07 蛋白調藥（嫩白祕方）

女子貴在顏面之容，若如花似月，便可令人神魂顛倒。有一祕方可使女子如願以償：硃砂二錢，雄黃五錢，輕粉一錢研爲末，晚間用雞蛋清調勻擦臉，次日清晨洗去。如此連用數日之後，臉上便顯出桃花色彩。如用豬蹄一個，將其煮成膏汁，晚間塗上，早晨洗去，連續數日，老皺的皮膚也可變得細嫩無比，黃臉婆馬上變成白嫩仙子。

——取材自《開元遺事》

【注】由於每個人的體質與膚質不同，在使用這類自製面膜時，最好先到皮膚科醫生那裡去做過敏測試，了解自己的身體狀況，以免美容不成反毀容。

08 特調浴劑（美女養成祕術）

世上女子多如雲，但國色天香者不多；而天生國色天香者，大多紅顏薄命，不是伴君，便是伴刀，幾乎無一善終。但是，即便如此，追求天香國色的女子，仍然多似蜂蟻。有一辦法能使容顏傾城：用甘松、山奈、香葉、白芷、白芨、白蘞、防風、蒿本、白殭蠶、白附子、天花粉、零陵香、綠豆粉一起搗成細末，每天洗臉或洗澡時用以擦身，不需太長時間，肌膚便可白裡透紅、嬌嫩無比，渾身上下也奇香不絕，沁人肺腑。

09 白梅櫻枝（去雀斑法）

用白梅、櫻桃枝、小皂角、紫背浮萍各五錢，一起碾成細末，揉成密實的丸子，形狀像彈子般大小，每天用這丸子洗臉，堅持數月，雀斑自然就會消失，恢復潔白容顏。

——取材自《仙拈集》

【注】雀斑形成的原因有些與家族遺傳有關，有些則是與防曬工作沒做好，或睡眠不足、壓力太大、經常處於精神緊張狀態有關。因此，改善作息、調適心情，確實做好防曬工作，並使用適合自己膚質的保養品，就能讓斑點慢慢淡化。

——取材自《福壽眞經》

10 煉蜜為丸（去雀斑法）

臉上若長了黑點雀斑，容顏就不嬌美了。可以用白殭蠶二兩，黑牽牛子二兩，細辛一兩，合在一起碾成粉末，加入蜂蜜煉成彈子大小的丸，用它每日洗臉數次，一個月之後，黑點雀斑定會消去，臉面也會變得瑩白嬌嫩。

——取材自《福壽眞經》

【注】洗臉的次數是因人而異的。一般來說，乾性、敏感性肌膚的人，一天洗兩次就夠了，油性

肌膚的人到了秋冬季節，也應視狀況減少洗臉的次數，否則臉部的水分容易流失，皮膚也會變得乾燥。

11 塗鰻魚油（去白斑法）

如果人的臉上生了白駁，似癬非癬，而且會越長越多，令人難堪不已。今有一治生白駁的方法：取下鰻魚脂，用火炙出一兩左右油脂，塗抹在白駁上，並輕刮白駁，要刮得白駁產生燥痛感，再塗上油脂，數次過後，白駁自然消失。

——取材自《福壽眞經》

【注】白駁是指皮膚出現大小不等、形狀不一、邊界清楚的白斑，為一種原發性皮膚色素脫失斑，全身上下均可能產生，並不限於臉部。它發生的原因不明，可能與自體免疫或遺傳有關，但對身體健康並無影響。若覺得不美觀，可至皮膚科請醫生開處方，盡量不要嘗試自己剝刮白斑，以免留下疤痕。

12 不必刀刮（去斑祕術）

女孩家最忌顏面受污，無端長出點點斑痕，用粉敷之不去，用水洗之不盡；若是用刀刮之，皮膚雖可暫時刮乾淨，但新皮長出後，斑痕又現。有一絕技可袪斑：用白蒺藜、山梔各一兩，共研爲粉末，以酸醋調勻後，晚間塗臉，早上洗去，如此連續塗洗半個月，斑痕自然脫盡，使臉面潔白如玉，滑不當手。

——取材自《女科切要》

13 豬蹄敷臉（除臉上皺紋法）

用大豬蹄四個，去毛洗淨煮得爛如膠狀。每日夜晚臨睡前，取豬蹄膠敷在臉面起皺紋的地方，次日一早用漿水洗乾淨，用此方法堅持月餘，臉上的皺紋就會消失，臉上皮膚也會細膩如嬰兒。

——取材自《福壽眞經》

【注】專家指出，豬蹄含有豐富的膠原蛋白，而膠原蛋白能讓皮膚緊實，減少皺紋產生，對女性養顏美容頗有功效。然而豬蹄熱量高，多吃容易發胖，將它加水煮爛，製成面膜敷在臉上，的確是一個不錯的方法，只是要敷整晚，一方面時間太長，一方面睡覺時也容易將床鋪、衣服弄髒，清理不易。

14 羊屎入魚腹（女子髮少能多法）

女子若有一頭濃密烏黑的秀髮，便能平添幾分風韻。現有一祕方，能改善女子頭髮稀疏、無光澤的狀況：將側柏葉攤開放在屋內通風乾燥處，別讓陽光照到。待側柏葉陰乾後碾成細末，和油調勻塗在頭皮上，數天後頭髮即會濃密。此外，還可以把羊屎放進鯽魚腹裡，然後將整條鯽魚放在瓦片上燒成灰，再取魚灰調香油塗抹在頭髮上，數日後頭髮就會長出，且油光黑亮，甚是可愛。

——取材自《福壽眞經》

【注】專家建議，想讓頭髮健康亮麗，經常按摩頭皮是既簡便又省錢的方法。由於毛髮的營養來源是毛囊下面的微血管叢，按摩頭皮可以讓頭皮的血液循環良好，毛囊獲得充足的養分，頭髮自然有彈性、光澤。此外，刺激性的食物如咖啡、麻辣鍋等少吃，對頭髮有益的食品如芝麻、海帶等多吃，也能讓頭髮健康、美麗。

15 擦雄鼠糞（禿頭生髮術）

將份量相同的胎髮、輕粉、松脂、雄鼠糞（即兩頭尖的）、臍帶，研成粉末，混合麻油塗擦禿頭處，用不了多久，就會使禿頭長出新髮。

——取材自《奇方類編》

【注】輕粉即水銀粉，含有毒性，使用時最好有醫師處方箋，以免過量而中毒。其實禿頭形成的原因很多，有家族遺傳，也有飲食或工作壓力、疾病，甚至使用品質不良的洗髮精也會造

成禿頭。建議最好到相關診所詢問醫師，確定形成因素後，再對症下藥。

16 胡粉石灰水（染髮祕術）

取胡粉、白石灰等用水拌和均勻，塗於頭髮和鬢鬚，即可保持烏黑不白。方法是：先將胡粉石灰水塗於髮上，再刷一層髮油，然後用頭巾裹好保持溫暖，等到將要乾燥尚未乾燥的時候，用溫水洗淨。如果水太燙則藥不能附著髮上，如果洗得太遲則頭髮易折斷。臨染前，應當摩擦頭髮或鬢鬚，使之發熱乾燥。

——取材自《博物志》

【注】此方比較像是「熱油護髮」，且胡粉又稱鉛丹、鉛白，多為女子化妝用，和白石灰同為白色的礦物質，並沒有能將頭髮和鬍鬚染黑的效果。

17 嫩老鼠三隻（落齒復生祕術）

有一祕技可使人重新再長出牙齒來：抓未開眼的嫩老鼠三四隻待用，將白芨、白芷、青鹽、細辛、當歸各五錢，搗碎後與嫩老鼠一起包在一個紙包中，外用細紙再包幾層，放入炭火中燒成灰，磨碎，然後以此灰擦牙，落牙便可復生，黑牙也會變得潔白無比。如經常使用，可使牙齒永固不落。

【注】一般而言，恆齒斷落後即無法再長出新牙來。所以如果恆齒斷落，應至牙醫診所訂製假牙，不宜輕信偏方。

——取材自《唐宮祕籍》

18 斷碑載歌（治齒烏鬚藥歌）

蓮花峰有斷碑，讀之乃治齒烏鬚藥歌一首，修製以用，其效靈驗。歌曰：「豬牙皂角及生薑，西國升麻蜀地黃；木律旱蓮槐角子，細辛槐葉要相當；青鹽等分同燒毀，研末將來使最良；揩齒牢牙鬚鬢黑，誰知世上有仙方！」

——取材自《玉壺清話》

19 杏仁加米酒（護手霜製作法）

女子生得一雙纖纖玉手，人見人愛；若是粗糙難看，就不敢在人面前捧花獻盅了。今有一護手祕方：杏仁、天花粉各一兩，紅棗十個，豬胰子三副，共同搗爛如泥，再加入米酒四盅，浸在瓦罐中，每天早晨用來抹手，三十天後，手上的皮膚就可光滑如玉，即便是到數九寒冬，雙手也不會再粗糙。

——取材自《傳家寶》

【注】豬胰子是位於膽囊附近白裡略帶粉紅色的腺體，為中藥材的一種，食用可益肺、補脾、治咳嗽，外用則是護膚良品，可防皺、防止手足皸裂。

20 牛油與大蒜（護唇膏製作法）

用牛骨髓油，若牛骨髓油不夠，可以和上些牛油，若沒有牛骨髓油，只用牛油也行，然後把酒燙溫，將藿香和丁香浸在酒裡，把酒放入小銅鍋裡，再放入兩份麻油，一份豬油，加些青蒿來著色。待煮沸幾遍後，再用文火慢慢地熬，待鍋裡的水熬乾了，就用絲棉布把濃汁過濾到瓷器或漆器等小容器裡，使它冷卻凝固。如果要塗在唇上作「唇膏」，可以和一些熟硃砂，外面裹一層青油。

那些冒著霜雪遠行的人，常把蒜咬破，擦在嘴唇上，這樣既可以防止嘴唇乾裂，又可以避邪驅惡。若小孩臉蛋凍裂時，可在夜晚把梨燒熟，先用糠湯將臉洗淨，再用暖梨汁塗上，以防止皮膚皸裂。此外，將赤蓬染的布嚼出汁來，塗在臉上，也可以預防皮膚皸裂。

——取材自《齊民要術》

【注】大蒜是天然的抗菌劑，但對皮膚具有刺激性，使用不當易造成紅腫、脫皮，所以若真的要用大蒜汁護唇，最好先進行局部試用，以確定自己的膚質是否適合使用。

21 紅花與石榴（胭脂製作法）

預先備好落藜、藜、藿、蒿等燒後餘下的鹼灰（若沒有，用普通的草灰也可以）；用熱水淋鹼灰，取得清灰汁（第一次取得的灰汁，鹼太濃，會損壞紅花的有效成分，這種汁只能拿來洗衣服，要淋到第三遍時，取得的灰汁，方可用來揉花，這時的灰汁鹼性弱些，便可揉出漂亮的顏色），用來揉花（要揉十幾次，直到花色完全失去爲止）。隨後，用布袋擠出揉得的濃汁，盛在瓷碗裡。接著，拿兩三顆酸石榴，剖開後取出裡面的子，搗爛，加少量極酸的粟飯淘米水混和，並把它裝在布袋裡。將酸汁擠在盛花汁的瓷碗裡，讓二者混和（如果沒有酸石榴，好的醋和上飯漿，也可以用，若連醋也沒有，也可以單獨用很酸的清飯漿），然後將酸棗般大的一顆白米粉放進碗裡（若米粉太多，顏色就會太淡），用一雙乾淨不油膩的竹筷子，用力攪拌許久，然後把碗蓋住。迨到晚上，液體已澄清，倒掉上面的清汁，再把碗裡剩下的濃汁倒進用生綢或熟綢做成的袋子裡，把袋子高掛起來，第二天半乾半濕時，把它捻成半麻子般的瓣狀，陰乾後即是胭脂。

——取材自《齊民要術》

【注】內蒙古大學化學系學者根據此方改良實驗後，發現只需兩次溶解與沉澱，即可製成顏色鮮豔的胭脂來；其實這是典型的化學中和反應，即利用紅花的紅色素不溶於酸，而溶於鹼的特性，先用鹼性溶液帶出紅花的紅色素，再用酸性溶液將它沉澱、分離。此法原是漢時匈

奴人製作胭脂的方法，後傳入中原，被漢人加以改良，成為婦女最喜愛的化妝品之一。

22 蛋黃和藥（胭脂製作法）

兩顆生雞蛋頂部各挖一個小孔，將裡面的蛋白全部清除乾淨，只留下蛋黃，然後將兩個蛋黃併入一個蛋殼中攪勻。接著，將硃砂、明礬共二錢，研成極細的粉末，再加入少量麝香調勻，放進蛋殼內與蛋黃和勻，再攪多次，使它們完全融合。

把半個空蛋殼蓋在放有藥品的蛋殼頂部，遮住小孔，用細線紮牢，放入絲絹袋裡裝好，懸空掛煮半天，再取出來，待蛋殼完全冷卻後，除去蛋殼，把已變成鮮紅顏色的蛋黃研細，胭脂膏即完成。

——取材自《古今秘苑》

23 服用山精（減肥祕方）

身體肥胖的人，行事諸多不便，今有一減肥妙方：取山精天天服用，堅持十餘年，則身體定會變輕，甚至輕得可以平飛過河。

——取材自《福壽眞經》

【注】山精即蒼朮的別名，為菊科植物矛蒼朮乾燥的根莖，具健脾、健胃、利尿、發汗的功效，可

幫助消化、消除水腫，但體質虛弱、多汗者忌食。道家常把山精列為長壽輕身的聖品，不過是否適合長期服用，還需經過醫師的診斷才行。此外，若欲減重，應從養成良好的運動習慣、生活規律、飲食節制開始，有任何疑問，應詢問醫師，切莫輕易嘗試各種偏方，以免減重不成反傷身。

24 加入糞蛆（去身上刺青法）

若想要消除人體上的紋身刺青，可用膽礬、鹵砂、龍骨各五分，人糞蛆適量，一起研成末，用香油一盞煎熟，然後加黃丹熬成膏，再摻少許麝香。

將調好的糊狀膏藥抹在油紙上，再把油紙攤貼在紋身刺青處，數日後皮膚上的黑跡自然隱入肉內不見。不過使用這個方法時，必須食淡粥一個月。

——取材自《福壽眞經》

【注】身體一旦刺青後，想要消除並不是一件簡單的事情，所以在刺青之前，千萬要三思。此外，若想除去刺青，應至醫院請醫師協助，切莫嘗試偏方，以免皮膚發炎潰爛。

25 不可用鐵刀（治雞眼祕術）

人的腳上若生有雞眼，則行走做事多有不便。腳上生了雞眼，千萬不可用鐵刀割，只能用磁器的鋒刃去割，雞眼就不會再生。在割去雞眼的地方，用荸薺搗爛敷在上面，並用絹包紮妥當，數日後雞眼即可消失，也不會再生。

——取材自《福壽眞經》

【注】雞眼形成的原因大多是因為穿上不合腳或不合人體工學的鞋子，經長期壓迫或摩擦腳部而產生，若不去理會，會形成硬塊，行走時疼痛不已。初期輕微的症狀，可用溫水泡腳，並以浮石磨除厚繭，再擦抹乳液保養，但若情況嚴重時，最好去醫院請醫師治療，千萬不要自行用刀割除，以免造成感染。避免雞眼發生或再復發的最好方法，就是選擇一雙舒適合腳的鞋子。

26 蛾眉爭寵（宮女畫眉奇譚）

隋煬帝時，宮女媚美，紛紛爭畫長眉，爲此，宮中的司官吏每日發給螺子黛五斛，號「蛾綠子」。李賀詩有「蛾綠攢曉門」，即是指此事。

又據記載，隋宮中鳳舸殿御女吳絳仙，善畫長蛾眉，宮內爭相仿效，官吏日供螺子黛五斛，號「蛾綠螺」。宮製蛾綠螺之技，無考。

——取材自《大業拾遺記》

【注】螺子黛為女子畫眉用的高級墨，產自波斯，一顆值十金，十分昂貴。

27 鶴飛蝶舞（古代女子裝飾奇譚）

鶴子草，蔓生於野外，花朵綠色，有一條淺紫基帶，葉如柳葉稍短，每逢夏天開花。南方人稱它爲「媚草」，採來後曬乾，以代面靨，形如飛鶴，翅尾嘴足，無所不具。

鶴子草到了春季，葉間必會生雙蟲，其蟲只食該草。越女常把蟲子捉來，收藏在奩中，像養蠶一樣養牠，每日摘鶴子草來餵。蟲老不食後，蛻殼爲蝶，顏色赤黃，飼主多把牠收帶在身邊，並稱之謂「媚蝶」。

——取材自《嶺表錄異》

【注】面靨是中國古代女子的臉部裝飾之一，即在臉頰酒窩處以胭脂輕點，或者貼上金箔、翠羽等裝飾品。這種化妝法源自後宮嬪妃，後普及到民間。又根據《北戶錄》記載，古人認為蝴蝶是由鶴子草變化而成，若飼養食鶴子草的蟲，迨牠蛻變為蝴蝶後，即會依附在飼主頭髮上，增加飼主的魅力，故名「媚蝶」。

28 子午導氣（白髮轉黑絕技）

思慮太過則神耗、氣虛、血敗而鬢斑，可在子午時分握固端坐，凝神絕念，兩眼含光，上視泥丸，心中存想有追攝一氣，自尾閭上升，再下降返還元海；如此重複九遍。久而久之，則神全、氣血充足，髮可自白返黑。有道是：神氣沖和精自全，存無守有養胎仙，心中念慮皆消滅，要學神仙也不難。

——取材自《析疑指迷論》

【注】此為道家養生法，主要在放鬆心情、舒緩壓力。道家將人的腦部分為九宮，泥丸便是九宮之一；至於元海，則是指人的下丹田。

29 服食槐子（扁鵲護髮術）

每年農曆十月上旬，取槐子去皮，然後放進沒用過的乾淨瓶子裡，密封十四天。之後，開始服食：第一天服用一顆，第二天服用兩顆，以此遞增，到第十天，又從一顆開始服食起，如此周而復始。

此方不但能預防落髮，還可保護視力。如顏之推在《顏氏家訓》中就提到他堅持服食槐子，所以到了七十多歲還滿頭黑髮，晚上在油燈下也能寫很小的字。

——取材自《圖經本草》

【注】槐子又名槐實，為槐樹所結豆莢內的種子，可明目止淚、固齒烏髮，延年益壽。由於它屬於寒性藥物，服用前最好諮詢中醫師，以了解自己體質是否適合長期服用。

30 芒硝溶水（增長視力法）

人目所及，不足十里之遙，而鷹目所望之地，百里之遠。如何使人目與鷹目一樣呢？有一法可試：每次用六錢芒硝溶於清水之中，用此水洗眼，一年之內共洗眼十二次，不可多，也不可少。若能持之一年，目力必能如隼如鷹，炯炯有神。

——取材自《唐宮秘籍》

【注】芒硝別名消石、皮硝，係由鹽地產之硫酸鈉精製而成，具有通便、利尿、解毒、消腫、止痛的功效，可治療便秘、消化不良及目赤紅腫，但在中醫藥學裡並無增長視力的作用，因此不宜輕易嘗試此方，以免傷眼。

31 松脂擦牙（固齒秘術）

松脂以眞定出產的爲佳；使用時，用細布袋裝起來，泡在水中，以滾水大火煮開。若見有浮於水面的松脂，則用濾杓撈取，依前法重新再煮。久煮不出的，棄而不用。之後，將冷凝的松脂取出研末，並加白茯苓末和勻。早上起床後，先取三錢擦抹牙齒，再用少許開水漱口，然後啜少許開水咽下，再刷牙。此術可牢牙、駐顏、烏鬚。

——取材自《仇池筆記》

【注】松脂即琥珀。據《本草綱目》記載，松脂亦名松香、松膠。氣味苦，甘溫無毒，主治痛疽惡瘡、頭瘍白禿、疥瘴風氣。安五臟，除熱。

32 清晨叩齒（護齒術）

齒若有疾，乃脾胃之火薰蒸，可在清晨睡醒時，叩齒三十六下，並以舌頭攪動牙齦，直到唾液充滿口腔，方可咽下，然後再依前法做一遍，如此重複三次。若有尿意，想上廁所，則閉口緊叩牙齒，等小便完才開口，如此將永無齒疾。有道是：熱極風生齒不寧，清晨叩齒自惺惺，若教運用無睽隔，還許他年老復丁。

——取材自《析疑指迷論》

33 曲足側臥（睡眠訣竅）

爲人站要有站相，坐要坐相，睡覺也要有睡相。睡覺時必須曲足側臥，以斂其形，形斂則神斂。若仰臥，則元神散蕩。臥時切記手不可放在胸腹上，否則會有夢魔。臥時不可言語。人臥時須如鐘磬一般，不懸則不宜發聲。古人概括道：「臥側而曲，覺正而伸，早晚以時，先睡心，後睡眼。」

——取材自《睡訣》

【注】專研睡眠的學者指出，研究結果顯示，採右側姿入睡者，副交感神經活性的平均值比左側姿入睡或平躺、俯睡者高出許多，而副交感神經活性如果提高，心跳就會變慢，進而減少心血管疾病罹患與復發的機會，並且全身可以放鬆，睡眠品質也跟著提升。所以常失眠或不易入睡者，不妨試試向右側睡。

34 服食響豆（強身術）

樂安縣有位孫公，年已九十，卻仍強壯如四五十歲的人。他自言自己之所以如此健壯長壽，是因爲每年服食響豆。

響豆其實就是槐子。每年槐子將熟時，孫公會差人守護，或以網罩在樹上，不讓鳥雀啄食。當槐子成熟後，即收作一枕，夜間臥聽枕中之聲，有聲的即是響豆。將響豆取出，其餘的盡數丟棄。每株樹，產響豆不過一顆，每年服用也不過一粒。數十年下來，自然強壯如牛。

——取材自《斯陶說林》

35 九蒸九曬（大力祕方）

想要積蓄一身超人的力氣，可以將大淮、地黃蒸九次曬九次後，每日清晨服下三、四錢，不但能生出大力氣，還能養精血，健身體。

——取材自《福壽真經》

【注】大淮即淮山，也就是俗稱的山藥。山藥原名薯蕷，因避唐代宗李豫諱，改名薯藥，後又為避宋英宗趙曙諱，再改稱山藥。因淮地出產的最精良，所以也稱淮山。山藥能補脾胃，益肺腎，適合食慾不振及體虛力弱者食用。地黃有補血、補益肝腎的作用，適合大病初癒、面黃肌瘦、氣血不足者食用。不過每個人的體質不盡相同，若欲長期服食，最好還是諮詢中醫師，以免進補不成反傷身。

36 神返氣回（健身術）

神一出，即收回，神返身中氣自回，如此日夜不間斷，自然赤子產真胎。此乃凝抱之功。平時靜坐，即存想元神入於丹田，隨意呼吸，十日後丹田完固，百日後靈明漸通，不可時做時不做，應持之以恆不間斷。有道是：丹田完固氣歸根，氣聚神疑道合真，久視定須從此始，莫教虛度好光陰。

——取材自《析疑指迷論》

37 默運神氣（返老還童術）

百種愁慮放在心中，萬般事情親自操勞，所以人就衰老了。要返老還童，非金丹不可。然而金丹又這麼容易得嗎？善於養生的人，行住坐臥意念不散，而固守丹田。常默運神氣，沖透三關，自然生精生氣，壯身體、抗衰老。有道是：欲老扶衰別有方，不須身外覓陰陽，至關謹守常調默，氣足知全壽更康。

——取材自《析疑指迷論》

38 服食胡麻（駐顏養生術）

巨勝一名胡麻，長期服用能抗衰老、耐風濕。

桃膠，以桑木灰漬，服後有病可癒，久服身上發光，特別是在沒有月亮、星星的夜晚外出行走時，會讓人有「月亮出來了」的感覺。

槐子以沒用過的甕裝好泥封，過二十多天，表皮就會糜爛，之後清洗晾乾，每天服用。此物主補腦，長期服食，可讓頭髮不白、長壽健康。

——取材自《抱朴子》

【注】胡麻即俗稱的芝麻，分黑、白、黃三種，原產地在非洲，後傳到印度，再隨佛教而傳入中國。其中黑色胡麻多食能滋養強身、益肝補腎、預防白髮，在日本更被視為長壽食品。至於桃膠，則是桃樹所分泌出來的一種天然膠汁，是印刷藥水、膠水、乳化增稠劑的原料之

一，也是中藥的一種。

39 晨起吞津（駐顏術）

每天早上醒來，即起端坐，凝神忽慮，用舌抵上顎，閉口調息，讓唾液自生，漸漸潤至滿口，然後分作三次徐徐咽下。久而久之，則五臟之邪火不炎，四肢之氣血流暢，諸疾不生，永除後患，老而不衰。唾液頻生在舌端，尋常嗽咽入丹田，於中暢美無凝滯，百日功靈可駐顏。

——取材自《析疑指迷論》

40 粗茶淡飯（養生術）

五味之於五臟，各有所宜，若吃東西時沒有節制，就容易傷身，因此飲食以清淡節制爲好。吃得清淡並非捨棄五味，而是將五味沖淡。有道是：厚味傷人眾所知，能甘淡泊是吾師，三千功行從茲始，天鑑行藏倍有之。

——取材自《析疑指迷論》

【注】五味指的是甜、酸、苦、辣、鹹。

41 吐盡怒氣（養生術）

人有時因吃太多而體內囤積廢物，有時因氣悶、抑鬱而體內積聚晦氣，久而久之則脾胃受傷，難於醫治。所以應節制飲食、力戒怒氣，不使兩者積聚爲好。已因積聚過多而生病的人，可升身閉息、鼓動胸腹，俟其氣滿，緩緩呵出，如此行五七次，便得通暢。有道是：氣滯脾虛食不消，胸中膨悶最難調，徐徐呵鼓潛通泰，疾退身安莫久勞。

——取材自《析疑指迷論》

42 海參淡食（養生秘術）

桂林太守興靜山，身體結實健康，令人稱羨。據他自己說，在二十歲的時候，他因縱酒過度而得病，幾乎死去，後來有人教他每日空腹吃不加調味的海參兩條，病情才漸漸好轉。現在他已戒酒三十多年。

沒有調味過的海參雖然難以下咽，但卻對身體保健很有效，若稍微加一點鹽、酒，效果則會大打折扣。此外，一個八十多歲的老師爺也表示，海參的功效實在不可思議。雖然他家境清寒，無力購買海參，但當去親友家赴宴時，只要席上有海參，必定盡情享用，寧可其他菜肴不吃。四、五十年來，不改此習。親友們知道他的這個飲食習慣，每次請他吃飯時，必定準備海參，一些交情好的，甚至還頻頻贈送。長年下來的結果，讓老師爺至老不服其他藥品，也不生病。

——取材自《浪跡叢談》

【注】《本草綱目拾遺》上說：「海參性溫補，足敵人參，故名『海參』。」它能補血氣、去水腫，對身體虛弱或貧血患者而言，是道不錯的食品，且含豐富的膠質，有益老年人和女性。孕婦生產後，以及大病初癒者，可多吃來補身體。

43 手足如鳥伸（養生絕技）

四肢需常常活動，這樣身體才不會像朽木一樣。熊經鳥伸、吐納導引等動作，皆為養生之道。平時可雙手上托，如舉大石，兩腳前踏，如履平地，存想神氣，依按四時，噓呵二十七次，則身健體輕，足耐寒暑。

——取材自《逍遙子導引訣》

【注】熊經、鳥伸為一種古代的導引養生法，早在《莊子》裡便有記載，即像熊一樣攀樹自懸，像鳥一樣飛空伸腳。

44 先熱後冷（飲食養生方）

吃飯的時候，應該先吃熱食，再吃冷食，因爲腎臟屬水，水性冷，所以需以熱食暖之。

吃飯不宜過飽，否則容易傷心臟，造成氣短胸悶。

吃完飯時，先用手摩肚子數十下，再仰面呵氣二十餘下，有助消化。

飯後不要馬上躺下睡覺，容易讓氣血凝滯，百病叢生。若要睡覺，最好先散步散步，讓食物消化，心臟空懸，方才寢臥。

吃飯不宜狼吞虎嚥，否則損氣損脾，應細嚼慢嚥。

吃飽不宜做劇烈運動或登高涉險。

盡量不要吃宵夜，以免損害脾胃。

晚上不宜飽食肉類、麵點和冷盤，尤其夏天的夜晚，更應忌避。因爲這類食物，雖然能消化，但甚損脾胃，特別是飽食煎餅。

吃完熱食後，不宜以冷水漱口；吃完冷食後，不宜以熱水漱口。否則冷熱相擊，容易牙痛。

——取材自《混俗頤生錄》

【注】另有一則出處不詳的飲食養生法：食，宜先食熱，乃暖于脾胃；次食溫，乃和于血脈；後食冷，乃清于六腑。持之以恆，食之養益乃見。

食，宜先粗嚼，勻和食之精微；次細嚼，調和精微、津液；後慢嚥，緩和而進食，習以為常，食之受益可見。

吃飯，直吃九成飽，易消化，不傷食，脾胃和順胃口好。

吃飯，直吃八成飽，不貪食，有節制，胃強年壽高。

吃飯，宜先飢而後食，胃則適時而得養。

吃飯，宜先飲而後食，胃則滋潤而得養。

日食三餐，直有定時，胃腸活動，宜有時序，養成良習，身體受益。

食，宜少而精，方易於吸收，強健脾胃。食，宜精而細，方易於消化，養和脾胃。

45 每日半飽（東坡養生術）

養生之說，祕訣如下：覺得肚中飢餓，即可進食；不要塡滿腹肚，半飽即要止食；經常到屋外去，散步逍遙；務必使腹中飢空，不使常飽。每當腹空之時，立即回屋入室，不必拘泥是白天還是夜晚，隨意坐臥，像一尊木偶似地，定心念道：「現在我的身體，只要動一根毛髮，即墮入地獄。」此意念縈繞在胸，如商鞅的法典一般嚴謹，如孫武的兵法一樣說一不二，有犯無恕。

靜坐之際，雙目微合，垂視鼻端，心中默數自己的呼吸次數；身心之中，似虛煙綿綿若趣，使此煙縷縷不斷；數到數百下時，此心已經寂然無聲，此身亦已兀然而起，高達虛空之上；數到數千下，若無法再數，則有一法，其名為「隨」，與呼吸共出，再與呼吸同入。若是覺得呼吸已從毛孔中化作八萬四千縷雲蒸霧散，諸病便會漸漸滅去，心境自然明悟，就像是一個盲人，忽然睜開了眼睛。到了這種境界，還用別人來指點迷津嗎？

——取材自《東坡志林》

46 煎食鹿腸（唐明皇養生壽餐）

唐明皇（唐玄宗）命令射生官射鹿取血，煎鹿腸食之，謂之「熱洛河」，據說可養生長壽。

——取材自《盧氏雜記》

【注】北京有一道別具特色的小吃「羊雙腸」：將剛宰殺過的羊血過濾後，加少許麵粉，灌入洗淨的羊腸內，然後放進鍋裡與蔥、薑、蒜、花椒煎煮，吃時切片淋湯，佐以芝麻醬、香菜。據說這道美味小吃便是從唐朝宮廷菜「熱洛河」演化而來的。

47 核桃配酒（益氣健脾良方）

核桃補下焦之火，亦能扶上焦之脾，但服法有所不同。舊聞曾賓谷先生每晨起必吃核桃一枚，配以高粱燒酒一小杯，酒須分作百口喝盡，核桃仁亦須分作百口嚼盡，因為細啜緩嚼，才能漸收滋潤之功，然而性急者往往沒有如此耐心。

我（《浪跡叢談》作者梁章鉅）在廣西時，有人教我另外一種吃核桃的方法：自冬至之日起，每夜嚼核桃一枚，數至第七夜止，又於次夜如前嚼，又數至第七夜止，如此每連服六夜，停一夜，周而復始，直至立春之日停服。我按此法服食五年後，發現眞能益氣健脾。據說此方最早源自西域，後來中原試服者漸多，是既不很費錢，又不很費力的養生偏方。

——取材自《浪跡叢談》

【注】據說核桃因為長得像人腦，所以有「以形補形」的補腦功效。除了補腦，核桃還有消炎、潤肺、化痰、止咳的功效，多吃有益健康。

48 神奇藥酒（百歲酒配方）

梁章鉅在甘肅的時候，會晤齊禮堂愼軍門。愼軍門授給他一個藥酒方，說可以治聾明目，黑髮駐顏。梁章鉅依方而服，一個月後，目力頓覺勝似從前。其方用蜜炙箭耆二兩、當歸一兩二錢、茯神二兩、黨參一兩、麥冬一兩、茯苓一兩、白朮一兩、熟地一兩二錢、生地一兩二錢、肉桂六錢、五味子八錢、棗皮一兩、川芎一兩、龜膠一兩、羌活八錢、防風一兩、枸杞一兩、廣皮一兩，共十八味，外加紅棗二斤、冰糖二斤，泡高粱燒酒二十斤，煮一柱香時，或埋土中七日更好，隨量而飲。愼軍門說：「此名周公百歲酒，其方得自塞上。周公自言服此酒四十年，壽已逾百歲。他家三代皆服此酒，無七十歲以下人。」

梁章鉅回到粵西，刊布此方，僚友軍民服此酒無不有效，便取名為「梁公酒」。有位名醫仔細研究了這帖奇方後，讚嘆道：「水火既濟，眞是良方，其方之勝全在羌活一味。此所謂小無不入，大無不通，非神識神手莫能用此也。」從此長飮不輟。

梁章鉅引退歸田後，僑居南浦。當地有幾位患了三年瘧疾的病人，向他討此酒一小瓶，帶回飮服，病情居然好轉，前後判若兩人。

——取材自《歸田瑣記》

49 酒醋同釀（壽酒配方）

清初，江南趙尙書從康親王那裡得到一個製藥酒的配方。當年，康親王統帥大軍西征，有一位道士來到軍中獻仙酒方，說依方造酒讓三軍飲用，可驅除瘴病，而且多服能延年益壽。方開：燒酒十斤、醋一斤半、黑糖一斤半、河水二斤；川烏一枚、草烏一枚，用麵包裹好，煨熱切片，加上淡竹葉三錢、菊花三錢，用袋裝妥，然後把糖水調入酒缸，須選擇無雞犬處釀造，其火候以柱香為刻。

康親王初見此方，覺得沒什麼特別之處，以為道士胡言亂語，不以為意，便命屬下送他出帳，不料剛出帳，那道士就突然不見了。康親王大驚，於是依方造酒，讓三軍飲用，果然頗有療效。當時，康親王與趙尙書交好，而趙尙書素患風濕病，經推薦以此方釀藥酒飲用後，宿疾頓除，夫婦二人均活到九十多歲。後來此方遍傳於人，治療風濕，無不靈驗。

——取材自《浪跡叢談》

【注】藥酒所使用的材料，其寒熱屬性不見得適合每個人，若想長期飲用，最好先詢問過中醫師，以了解自己的體質是否合適。此外，身體有任何疾病，應即刻就醫，不宜太過相信偏方的神效。

50 乾洗澡（血氣通暢術）

氣滯則痛，血滯則腫，滯之爲患，不可不愼重對待。治法是：須澄心閉息，以左手摩滯七十遍，右手亦然。再用唾液塗之，堅持七日，則氣通血暢，永無疑滯之患。養生專家說的乾沐浴即是此法。

——取材自《析疑指迷論》

51 高壽仙方（延壽丹祕方）

明代書法家董其昌有一延壽丹祕方，而他年至耄耋，精神不衰，皆此丹之力。傳到清朝，服者亦不乏其人，都能活到高齡，享健康長壽之樂，且鬚髮復黑，腰腳增健，眞乃卻病延年之仙方。據說康熙年間，有人珍藏董其昌的手錄祕方，字體帶有行草，是其晚年所書。

今將藥品和製法列於後：

大何首烏，取赤白二種，先用黑豆汁浸一晚，切片曬乾，再用黑豆汁浸一晚，次早，用柳木甑、桑柴火，蒸二柱香的時間，如此九次，不可增減，曬乾待用。

兔絲子，先用清水淘洗五六次，取沉者曬乾，逐粒揀去雜子，用無灰酒浸七日，入甑蒸七柱香時間，曬乾，如此九次，研爲末一斤待用。

稀薟草，五、六月間採，用長流水洗淨曬乾，以蜂蜜同無灰酒拌勻，隔一晚，蒸三柱香時間，如此九次，曬乾，研爲末一斤待用。

桑葉，四月採人家所種之嫩葉，以長流水洗淨曬乾，照製稀薟草法九製，研爲末八兩待用。

女貞實，冬至日摘園林中腰子樣黑色者裝入布袋，剝去粗皮，酒浸一晚，蒸三柱香時間，曬乾，研爲末八兩待用。

忍冬花，又名金銀花，四、五月間摘取，陰乾，照製稀薟草法九製，曬乾，研爲末四兩待用。

川杜仲，用厚者，去粗皮，以青鹽同薑汁拌炒，斷絲八兩待用。

雄牛膝，以懷慶府產爲佳，去根蘆淨肉屈而不斷、粗而肥大者，用雄黃酒拌，曬乾八兩待用。

以上杜仲、牛膝，不可研爲末，待何首烏蒸過六次後還有三次時，不用黑豆汁拌，單用杜仲、牛膝二味同何首烏拌，蒸曬各三次，以足九蒸之數。

生地，取釘頭鼠、尾原枝大枝者，曬乾，研爲末四兩待用。

以上共七十二兩，合何首烏亦七十二兩，再合旱蓮子熬膏一斤、金櫻子熬膏一斤、黑芝麻熬膏一斤、桑椹子熬膏一斤，同前藥末一百四十四兩，搗數千杵，做成丸即可服用，如膏不足，可用蜂蜜增補之。又按，體質陰虛者須加熟地一斤；陽虛者須加附子四兩；脾虛者須加人參、黃耆各四兩，去熟地；下元虛者須加虎骨一斤；麻木者須加天麻、當歸各八兩；頭暈者須加玄參、天麻各八兩；目昏者須加黃甘菊、枸杞子各四兩；肥胖者、多濕痰者須加半夏、陳皮各八兩。各藥加若干數，則何首烏亦相應加若干數。

——取材自《浪跡叢談》

【注】無灰酒是指釀酒時，酒麴未加石灰、灶灰等物，直接釀製而成的酒。這種酒的特性在於不增氣味、不損精神，味道純正清美，非常適合做藥酒的原料。然而，在嘗試釀此藥酒之前，應持此偏方詢問中醫師，了解是否適合自己的體質，不宜貿然服用，以免傷身。

第二章 醫療救治

52 紅豆七枚（保健祕方）

每年五月七日時，男子吞紅豆七顆，女子吞紅豆十四顆，則可確保整年無病痛。今楚地習俗，於立秋日吞紅豆七顆，無男女之分，而吳地習俗則於七月七日吞紅豆七顆，可以整年無病。

——取材自《雜五行書》

【注】紅豆自古以來即是很受歡迎的養生食品，《本草綱目》的作者李時珍稱它為「心之穀」。而據食品營養專家分析，紅豆含有百分之二十三的蛋白質，百分之十八的食物纖維，營養物質超過小麥、小米、玉米，甚至有些營養成分還超過綠豆，更是女性養顏美容與補血氣的最佳食品。

53 鼻飲葫蘆水（醒腦絕技）

邕州（今廣西）的少數民族及欽州村落的人，多用鼻飲水。鼻飲的方法是，用葫蘆盛少許水，將鹽和山薑汁數滴置於水中，葫蘆有小孔，用小管子一端插入葫蘆孔，一端插入鼻孔，吸水升腦，循腦而下入喉。富人用銀器，次之用錫器、陶器，最次用瓢。鼻飲時，一定要口嚼一片鹹魚，然後水才能安然流入鼻內，不會與氣相激。飲後必定要嘆一口氣，以涼腦快膈，讓全身舒暢。用這方法只能飲水，飲酒或用手捧水吸飲時，都不用鼻飲。

——取材自《嶺外代答》

54 浸皮一月（阿膠祕製法）

位於山東省東阿縣陽谷界首有一故城叫阿城，阿城有一口古井叫阿井，是濟水之眼，水色碧而重，攪濁後很快即能澄清，汲出後日久而不變味。《禹貢傳》曰：東阿濟水所經，取重井水煮膠，叫做阿膠。又《水經注》曰：阿城北門的西側泉上有井，大小若車輪，深六丈（今已不盈數尺），歲常煮膠，以貢天府。

製阿膠法：選純墨驢，飲以東阿城內狼溪河之水，到冬季取其皮浸狼溪河一個月，刮毛，洗去污垢，務必非常清潔，加入人參、鹿茸、茯苓、山藥、當歸、川芎、地黃、白菊、枸杞、貝母十味，置入銀鍋，汲阿井的水，用桑木燒火，熬三天三夜，瀝清後再熬一晝夜，即成阿膠，色如鏡，味甘鹹而氣清和，這才是眞正的阿膠。

——取材自《巾箱說》

【注】阿膠是指將驢等動物皮用水煮後所得的膠質，因以東阿地區所產為上品，故稱「阿膠」。早在秦漢之際的《神農本草經》裡即有記載，與人參、鹿茸並稱「中藥三寶」。

55 蛻角掩埋（犀牛角傳奇）

據《本草》所載，犀出於永昌山谷及益州，今出自海南者爲上，出自雲南、四川的次之。在成都、廣西、廣州、桐城，甚至河北等地均有所見，但皆非出產之地，乃船來品聚集之地。

犀似牛；豬首、大腹，腳有三趾，色黑，好食辣。其皮每孔生三根毛。項生一角，有的說二角或三角。郭璞在《爾雅》注說：「犀三角，一在項上，一在額上，一在鼻上者，即食角也，小而不惰。亦有一角者。」《嶺表錄異》所載不同，說：「犀有二角，一在額上爲峰犀，一在鼻上爲帽犀。」實際上雄犀亦有二角，皆爲毛犀，而今人多傳犀只有一角之說。

犀角的種類很多。最大的叫墮羅犀，一個有七、八斤重，據說是雄犀的額角，其花紋如撒豆斑，色深者可作腰帶（即「犀帶」），斑散而色淺者可作器皿。捕殺而得的犀角稱「生犀」，自然蛻落的犀角爲「退犀」。

據說殺犀的方法是：先在犀牛經常出沒的山路上多栽木樁，就像做豬羊棧一樣，因犀牛前腳直，常依木而息。時間長了，木樁必定被蛀蝕或腐朽，犀牛突然依靠上去，則木折犀倒，人即斃之而取其角。又據說，犀牛每次蛻角時，必挖土掩埋，海南人找到埋犀角處後，便取出犀角，換上木角，照舊埋好，否則一旦犀牛發現失去蛻角，就會遷徙他山，無處可尋。

犀牛品種裡有一種叫緒黃犀，其角裡外透明，瑩淨如眞金色，是最珍貴的犀角。又有人說，犀牛有兩種，一種叫山犀，一種叫水犀，水犀比較少見。《五穀記》中說：「山犀者，食竹木，小便盡日不盡。夷獠以弓矢採取，故曰黔犀。」

犀角性寒，能解百毒。我（《游宦紀聞》作者張世南）有位朋友叫章深之，病心經熱、口燥唇乾、百藥無效。有位醫師教他用犀角磨粉服下，他照醫生說的飲兩碗許，疾病頓除。成都雙流縣有一匠工，能用牛角仿造通天犀角，但由於人工刻畫得過於逼眞，反易爲人所識破，因犀角之色澤紋路是無法仿造的。人說犀角之最下品是鬼犀，因爲那是死犀之角，其紋色均黯然失色。

——取材自《遊宦紀聞》

【注】犀牛角其實是由犀牛表皮角質層大量的毛狀角質纖維匯聚而成，換句話說，它的成分近似於毛髮而非骨頭，就像人類的指甲一樣。所以如果割下不處理或犀牛自然死亡時，幾年後角必朽化（故犀牛角沒有化石存在），埋在土裡就更不用說了。

犀牛角由於可入藥，又可加工製成工藝品，因此遭到濫捕與盜獵，幾乎瀕臨絕種。其實，這些保育類的中藥材，多數都有替代用藥，且功效大抵相同。台北市衛生局與中醫商業同業工會即曾公告各類保育類中藥材的替代用藥，如苦酸鹹寒的犀角，可以大青葉、金銀花等替代；藥材不見得貴才好，所以購買時千萬不要被高價矇騙。

56 紅比白貴（燕窩祕識）

燕窩有烏、白、紅三種，唯紅者最難得，白者能治癒痰疾，紅者有益於小兒痘疹。

——取材自《閩小紀》

57 紫色為佳（燕窩傳奇）

燕窩，又名金絲。據做海貨生意的商賈說，在大海中的沙洲上生長著一種蠶螺，臂有兩肋，堅潔而白，當海燕啄食以後，肉化而肋不化，與唾液一併吐出來結成小窩，海燕銜著小窩飛渡大海，飛得疲倦了，就將燕窩置於水上，在其上棲息，然後再銜著它繼續飛渡，海上漁人掌握時節前往拾取以賣錢，其中以紫色的燕窩最佳。《湖海搜奇》中又是一種說法：燕窩出自廣東陽江縣，因海燕捕小魚來築巢，故名燕窩。

——取材自《香祖筆記》

【注】其實燕窩是雨燕科的金絲燕於海岸峭壁的岩洞中或屋簷下，在吞食海中小魚、海草、田野昆蟲後，分泌唾液築成的窩巢，經人工採集，去污除毛後而成珍貴藥材。燕窩產地多在東南亞，分血燕（紫燕）、黃燕、白燕三種，其中以血燕為最高級。血燕形成的原因其實與金

絲燕所吃的食物成分有關，並非因築巢多次，精疲力竭而吐出血絲。然而，拿走燕窩，秋冬之際金絲燕將無巢可棲，無法產卵撫育下一代，很可能面臨絕種。學者專家建議，與其花大筆錢又破壞自然生態，不如選擇具有相同療效，價格便宜又不會破壞自然生態的白木耳，一樣能滋補養生，養顏美容。

58 必用流水（煎人參秘訣）

人參湯必須用流水煮，用止水煮則不靈驗。

——取材自《備急千金要方》

59 芋梗搓揉（治蜂螫秘術）

處士劉易隱居王屋山時，曾在書齋裡看見一隻大蜂黏掛蛛網上，蜘蛛與蜂搏鬥時，被蜂所螫而落在地上，片刻間，腹部腫脹得幾乎要破裂。但牠忍痛慢慢爬出書齋，進入草叢中，將一根芋梗用牙啃破，再把所螫之處貼在芋梗破處摩擦許久。後來脹腹漸漸消退，行動也恢復了常態。

之後若有人被蜂螫傷，劉易就教他將芋梗搓揉後敷在傷處，以消腫止痛。

——取材自《夢溪筆談》

【注】野外求生專家表示，若在野外被蜂螫，可用氨水（若無氨水，尿液也可以）或牽牛花的葉子、蘆薈葉汁、姑婆芋梗搗爛敷傷口，暫時舒緩腫痛，其作用和芋梗相同。然而蜂毒種類與毒性依蜂種而有所不同，被螫後的中毒症狀也依體質而有所不同，輕微的紅腫熱痛，嚴重的可導致休克或急性腎衰竭，因此被蜂螫後，若出現身體不適的情況，應立即就醫，切莫拖延。

60 藥塗毒盡（治蛇咬祕術）

宋朝時期，徑山有一僧人，在園裡散步時，腳被蛇咬傷，後因治療不當而腫脹潰爛，一位遊方僧見狀，爲其治療：先汲來乾淨的水洗患處，換水數斛後，將腐膿敗肉全部洗去，瘡口見到白筋，乃挹以軟絲綢，用藥末勻灑瘡中，沒多久，惡水即如泉湧出，第二天再淨洗敷藥如初。一月後，毒盡肉生，康復如舊。其藥方是：香白芷研細末，加入鴨嘴膽礬少許。

——取材自《談藪》

【注】香白芷即白芷，具有止血、排膿、生肌、消腫的功效。鴨嘴膽礬又名膽礬、石膽、藍礬，為硫酸銅結晶體，能治口瘡、痔瘡、腫毒，具毒性，使用時應有醫師處方箋，以免中毒。

61 豬尾巴血（蛇入人體引出祕法）

夏天在野外乘涼小憩時，若有小毒蛇從口鼻或肛門處鑽入則是很危險的，一旦遭此不幸，千萬不能驚慌得去用力拔蛇尾，因爲越拔蛇越會越往裡鑽。應即刻割下母豬的尾巴，將豬尾巴血滴入蛇鑽進之處，蛇自會慢慢退出。亦可用胡椒末塡入蛇尾小眼內，蛇便會退出，或用硬草刺蛇尾，效果也不錯。千萬不要拿針之類的鐵器刺蛇，蛇一旦被鐵器所傷，毒性就會增強，這種小毒蛇只要咬傷一塊樹皮，半日之內此樹即會枯死。樹都如此，何況人呢？

——取材自《多能鄙事》

【注】此方不宜輕易嘗試。無論是被蛇咬或有小蛇鑽入體內，均應即刻就醫，尤其毒蛇咬傷，更是刻不容緩。切勿嘗試各類偏方，以免延誤就醫。

62 灌生雞血（治蜈蚣入腹方）

蜈蚣入腹，最難取出。有一人夜間去灶旁吹火，有蜈蚣在吹筒中，驚竄入喉，漸下胸膈。急救之法是：用生雞血灌之，更飲菜油盞許。蜈蚣畏油，因此人一噁心，蜈蚣便會與油血一起吐出。續服雄黃水解毒，即可平安無事。

另有一法：取幾顆生雞蛋的蛋白，喝入肚，良久腹痛，再啖生油，須臾大吐，則雞蛋白與蜈蚣糾纏而下，原因是二物相制衡，入腹則合爲一。

——取材自《臨桂雜誌》

【注】民間認為雞既啄食蜈蚣，故能剋蜈蚣，因此蜈蚣鑽入體內時，可以雞血、雞蛋白將蜈蚣逼出，實際上這是不科學的迷信，切勿輕易嘗試。若有蜈蚣等蟲鑽入體內，應即刻就醫治療。

63 糖水滴眼（石灰入眼自救法）

石灰入眼，十分危險，很容易導致瞎眼。可用細小的白糖溶到水中，將眼皮展開，將糖水滴入眼中，可以避免眼睛被石灰燒傷。

——取材自《多能鄙事》

【注】專家指出，若不慎將石灰、石膏、水泥等粉末灑入眼睛，千萬不可馬上用水沖眼，要先拍去臉上、身上的其他粉末，方可以清水沖洗眼睛，然後盡速就醫。由於石灰等粉末會與水產生化學反應，若處理不當，很可能擴大傷害。

64 嚼食橄欖（魚骨鯁喉救治法）

魚骨鯁喉，苦不堪言，特別是小孩被魚骨鯁喉，更是難辦。可用橄欖核磨水服下，魚骨立即消溶，或將柿餅整個吞下，魚骨隨下；嚼橄欖嚥下，魚骨也即溶化。或者取活鴨倒吊起來，用器皿等盛鴨滴下的口水，再將鴨涎水給患者吞服，效果亦佳。

【注】民間有許多關於魚骨鯁喉的救治法，除上述偏方外，還有喝醋、吞白飯等。不過醫生表示，任何舉動都有可能造成喉嚨更嚴重的傷害，所以如果被魚骨鯁喉，則不宜再吞任何飲料與食物，應盡快至醫院請醫生幫忙取出。

——取材自《多能鄙事》

65 飲生鵝血（治骨鯁秘術）

武昌小南門外獻花寺有一位叫自究的僧人得了噎病，百藥無效，久治不癒，臨死前對他的徒弟說：「我這怪病，應是胸臆中有物作祟所致，待我死了以後，可解剖屍體，尋找病因，然後再殮葬。我將不勝感激於九泉之下。」其徒按其所教，得一骨如簪，遂將此骨置於經案，在其佛門弟子中久相傳示。

一年後，有位武官經過該地，寓於寺中，隨從人員殺鵝爲他備膳，結果殺鵝時未斷其喉，偶見經案上的那根骨頭，便隨手取來挑刺鵝喉，不料鵝血噴發，骨頭亦跟著消溶。後來，自究和尚的徒弟也罹患噎病，想到鵝血可治，遂飲鵝血數次而癒，於是，遍以此方授人，無不驗者。特記於此，以供世人之一助。

——取材自《浪跡三談》

【注】異物鯁喉應即刻就醫，千萬不要輕易嘗試偏方。

66 螳螂拌飯（肉中拔刺術）

手腳誤被竹刺或木刺插入，可用螳螂粉末拌飯塗於傷處，利刺就會自動退出。秋天來時可將螳螂晾乾收好，需用之際，將其磨細捏敷於傷處，十分有用。

——取材自《多能鄙事》

【注】中醫藥學裡僅見螳螂卵鞘（藥材名稱爲桑螵蛸）入藥，因此若手腳被竹、木扎傷，應先嘗試用針將刺挑出，再消毒上藥。若無法自行挑出，則應至醫院請醫師協助，以免傷口受到感染。

67 神奇阿魏散（治寒熱方）

阿魏散治療骨蒸（陰虛潮熱之氣自身體裡透發而出）、傳屍勞（肺結核）、寒熱、羸弱、喘嗽。其方爲：阿魏三錢；砍青蒿一握，細切；東北桃枝一握，細剉；甘草如病人中指一般大，男左女右；童子小便二升半。先以小便隔夜浸藥，明早煎一大升，空心溫服，服時分爲三次。次服調檳榔末三錢。如人行十里許時，再一服。丈夫病由婦人煎，婦人病由丈夫煎。合藥時忌孝子、孕婦、病人及腥穢之物，勿讓雞犬看見。服藥時忌油膩濕麥諸冷硬食物。服一、二劑即吐出蟲或拉肚子時，便不需服剩下的藥，如果沒有吐瀉，則要把剩下的藥吃完。吐瀉時，若排出的蟲子都像人髮馬尾之狀，疾即痊癒。據傳，此方得自神授，藥到效來。

——取材自《續夷堅志》

【注】阿魏為一種藥用植物，原產新疆，味道頗重，主治瘧疾寒熱、牙痛、脾積結塊。藏藥裡亦有「阿魏散」，但處方與上述不同。若罹患肺結核、瘧疾、喘咳之症等疾病，還是應該至醫院檢查治療，不宜輕信偏方，讓病情加重。

68 馬蹄燒灰（治走馬疳祕術）

治走馬疳有一方：用瓦壟子（魁蛤），比蚶子略小，要未染鹽醬者，連肉火煲，存性，置於冷地，用盞覆蓋，候冷取出，碾爲細末，灑於患處，可癒。又一方：用馬蹄燒成灰，加入鹽少許，灑於患處。

——取材自《蓼花州閒錄》

【注】走馬疳即壞疽性口腔炎，是一種十分嚴重的細菌感染疾病，若罹患此病，應立即到醫院接受治療，切莫輕信任何偏方。

69 杜仲調酒（治腎虛腰痛方）

程沙隨治療腎虛腰痛方：將杜仲用酒浸透，炙乾搗羅爲末，用無灰酒調服。又，治療一食生冷就心脾痛方：用陳茱萸五六十粒，加水一大盞煎，取汁去渣，加入平胃散三錢，再煎熱服下。又程本人曾患淋病，每日食白冬瓜三大甌而癒。

——取材自《遊宦紀聞》

【注】泌尿科醫師表示，生病時應到醫院就醫，尤其罹患細菌感染的淋病，若無正確的認知與適當的治療，將引發尿道炎或關節炎等後遺症。

70 冬瓜一個（治惡瘡方）

治惡瘡有一方：取冬瓜一個，攔腰截斷，以切面合於瘡上，等到瓜熱，削去一層，再合，直到患處熱減爲止。又一方：用蒜泥做成餅，在瘡上炙，不痛炙痛，痛者炙不痛，即止。

——取材自《蓼花州閒錄》

【注】雖然冬瓜具有清熱消腫的作用，大蒜具有消毒的功效，但這些只能舒緩不適的症狀，並不能治癒惡瘡，應到醫院請醫師治療，讓身體早日康復。

71 獨科蒼耳（治惡瘡方）

京都張伯玉，曾以祖傳祕方榜示傳人，其中有一方靈驗異常，可治發背（背上長疽）、腦疽、一切惡瘡。瘡初發時，採獨科蒼耳一根，連葉帶子研成細末，不沾鐵器，放入砂鍋，以兩大碗水熬，熬成一碗。如瘡在上（指生在頭、頸、手、胸、腹、背上的瘡），飯後徐服之，吐出，吐定再服，以盡爲度。如瘡在下（指生在私處、腳上的瘡），空心服，瘡自破出膿，以膏藥貼之。另有治一切惡瘡方：瓜蔞一枚，去皮用瓤及子，生薑四兩，甘草二兩（橫紋者佳），切細，用無灰酒一碗，煎及半濃服之。煎時不沾銅鐵。患在上食後服，在下空心服。

——取材自《續夷堅志》

【注】生疽長瘡，應到醫院治療，不宜嘗試偏方。

72 韭菜搗汁（治刀傷骨折方）

葉蒲州南岩這個地方，流傳著一種治刀瘡的藥方：在端午節這一天，取韭菜搗汁，調和石灰，杵熟做成餅狀，敷於瘡處，血即止，即使骨折，亦可癒合，有奇效。

——取材自《香祖筆記》

【注】韭菜可止血、治療跌打損傷，但骨折或大出血時，應盡速送醫救治，切莫嘗試偏方。

73 灌入水銀（治槍傷方）

瘍醫說：水銀能蝕五金。金遇水銀則白，鉛遇水銀則化，凡是在戰陣中中了鉛丸的傷兵，鉛丸雖然陷入骨肉，但只要將水銀自傷口灌滿，鉛即化水，隨水銀而流出，可避免割取之苦。

——取材自《斯陶說林》

【注】專家表示，就原理來說，水銀的確能溶解鉛，但因其含有毒性，此法恐有腐蝕肌膚之虞，且是否能將鉛丸化盡流出，也有待商榷。

74 神龜托夢（治骨折方）

冀州徐播墮馬，折傷手足，痛不堪言，命醫生治之，其方用一活龜。龜既得，夜間夢龜說道：「我只能止痛，不能整骨，勿害我命，有奇方奉告。」徐播夢醒，依龜告之方治傷，果然神效。其方爲：地黃一斤、生薑四兩，搗研成爛，用臘糟一斤，放入地黃生薑，炒勻，趁熱裹在傷處，冷卻後即換。此方先能止痛，後可整骨。

——取材自《期陶說林》

75 黑毛雄雞（治骨折祕方）

骨折後，可用五加皮四兩，雄雞一隻（黑者更妙）去毛，連皮、骨、血與五加皮一起搗爛，敷於患處，用布包好，一周時揭去（不可太過時），內自完好。再用五加皮五兩，用酒濃煎，盡量飲，稍醉後，熟睡爲妙。

——取材自《浪跡叢談》

【注】骨折受傷應至醫院治療，不宜嘗試各類偏方。

76 內服外敷（外傷嚴重治療法）

姚伯昂的侄婿張子畏在京城農部做官時，奉命去圓明園畫稿。半途中，馬車傾覆，車伕被車輪壓成重傷，兩邊腎臟都跑出體外，以爲必死無疑。當時，姚伯昂正巧在朝房，把這件事告訴了申鏡汀前輩。申老前輩立即錄下一方交給他，說：「以前，我曾親眼看見兩個船夫持篙相鬥，結果其中一個被篙刺穿額角。爲救傷者，我用了此方，治之而癒。此方止痛止血，且不必避風。」

姚伯昂急忙照方配藥，讓車伕敷用。不到半個月，果然痊癒。此後，用這方治療刀箭馬踢跌傷，無不神驗。其方爲：白附子十二兩，白芷、天麻、生南星、防風、羌活各一兩，各研極細末，就破處敷上。傷重的人，用黃酒浸服數錢；青腫者，水調敷上，一切破爛，都可敷之即癒。地方官若能平時預製，以治受傷者，可活兩命。價不昂而藥易得，也是一樁積德之事。

——取材自《竹葉亭雜記》

【注】白附子和生南星含有毒性，使用時宜有醫生處方箋。此外，重傷患者應盡速就醫，切莫拖延。

77 忌吃雞肉（治打架破傷風方）

紀文達（紀曉嵐）曾說：「凡被毆打後因破傷風而死的人，其實不全都不能救活。呂太常含暉曾使用一則祕方：以荊芥、黃蠟、魚鰾三味（魚鰾炒黃色）各五錢，艾葉三片，入無灰酒一碗，重湯煮一柱香工夫，趁熱飲下，汗出立癒。唯一犯忌的是，百日之內不得吃雞肉。此一方可活二命——被毆者不死，毆者也可免去殺人償命的死罪，實為善舉。可惜的是，此方漸漸不被人知，枉死了多少性命！」

——取材自《歸田瑣記》

【注】破傷風是由破傷風桿菌芽胞引起的，燒傷、撕裂傷或大小外傷，若傷口不乾淨，便容易受到感染，壞死組織尤其是破傷風桿菌增殖的溫床。因此若外傷嚴重，或傷口疑似遭受污染、不潔淨，都應施打破傷風針以預防發病。

78 空腹吃蜜丸（東坡治足祕術）

東坡有帖治足疾方：用威靈仙、牛膝二味擣為末，加入蜂蜜，做成丸，空心服，神效。

——取材自《楓窗小牘》

【注】威靈仙能治風濕、麻痺、腳氣病，牛膝能治膝痛、關節痛並強健筋骨。然而，此處所說的足疾太籠統，所以如果覺得行動不便或雙腳疼痛、不適，還是應該到醫院檢查、治療。

79 薰斷燈草（治喉鵝方）

秋坪的妻子錢氏，患有喉鵝之疾，屢治屢發，痛苦不堪。所謂喉鵝，乃喉間起瘡，腫痛不已。其中喉嚨兩邊脹塞者，叫做「雙鵝」，連水都無法呑嚥。治療稍遲，則呼吸氣閉，患者往往窒息而死。

秋坪從粵東歸來時，泊船於江山，聽到同船有人在談奇症以及治喉鵝的祕方，便細細聽記下來。這人說道：「要治喉鵝，可用斷燈草數莖，纏在指甲上，就火薰灼，待到黃燥時，將二物研細，再用火逼壁虱十隻，一併搗入為末，以銀管向所患處吹去，極有神效。」秋坪回到家，正逢錢氏喉鵝發作，比前幾回更為厲害，醫家已束手無策。秋坪憶起船中偶得之方，立即依法製治，吹了數次後，忽發現雙皰破潰，嘔吐出膿痰一盂，旋即平復如初。從此之後，再也不復發了。

秋坪感嘆道：「這藥眞是神效，不啻仙方！」按理說，指甲與燈草，本是喉症應用之藥，而所用壁虱做第三味，則在古方中從未記載過！又有一祕方：喉間初覺脹滿起瘡者，急以食鹽自搓手掌心，鹽乾，再換新鹽，搓上數刻即可消症。這個辦法極爲簡便，又極有效，曾經有無數人試用靈驗。

——取材自《歸田瑣記》

【注】偏方不宜盡信，有病還是至醫院治療，方為上策。

80 大蒜拌熱土（治中暑秘術）

治突然中暑氣閉之方：取大蒜一握，用道路上的熱土摻雜在一起研爛，以新水調和，濾去渣滓，灌之即甦醒。

——取材自《避暑錄話》

【注】若發生中暑，應趕緊將病人移至陰涼處，並解開衣扣讓身體通風散熱，然後飲用開水或稀釋的電解質飲料，以舒緩症狀。

81 蘿蔔榨汁（治偏頭痛秘方）

王安石常患偏頭痛，宋神宗賜以禁方：用新蘿蔔榨取自然汁，加入生龍腦少許，調勻，仰起頭來，滴入鼻孔，左邊頭痛則滴右鼻孔，右邊頭痛則滴左鼻孔。

——取材自《香祖筆記》

【注】白蘿蔔汁能退燒、化痰、解宿醉、治暈車、扁桃腺發炎，龍腦為香料的一種，能通諸竅、散鬱火。

82 祕方歌訣（治四肢痲痹方）

揚州異人傳有治療積受潮濕四肢不仁的祕訣歌謠：「十大功勞三兩重，八棱痲根五錢輕。淫羊藿與千年健，紅花當歸五加皮。陳皮六味俱三錢，一共八味煎濃汁。配入陳燒四斤足，再加無灰酒十斤。封罈七月隨量飲，一月之後見奇功。」據傳，葉均潭方伯服了此方，見奇效。

——取材自《歸田瑣記》

【注】若欲用此方，應先諮詢過中醫師，以確定自己體質是否合適，不宜貿然嘗試，以免傷身。

83 掩耳折頭（治半身不遂術）

邪風入腦，虛火上攻，則頭目昏旋，偏正作痛，久則中風不語，半身不遂。治療時須靜坐升身，閉氣息，以兩手掩耳，折頭五、十次，心中存想元神，逆上泥丸，則風邪之氣散去。有道是：視聽天聞意在心，神從髓海逐邪氣，更兼精氣無虛耗，可學蓬萊境上人。

——取材自《析疑指迷論》

【注】半身不遂的原因很多，應立刻就醫，對症下藥，才不致延誤最佳治療時機。

84 荊芥穗末（治中風祕術）

取荊芥穗研成細末，用酒調服三錢，可治中風，立即見效。

——取材自《蓼花州閒錄》

【注】荊芥穗能發汗解熱、驅風理氣、消腫散瘀、解毒透疹，似無治癒中風的效果，因此此方不宜輕易嘗試。

85 書寫細字（治白內障術）

傷熱傷氣，肝虛腎虛，則眼昏生翳，日久不治則盲瞎矣。每日睡醒時，端坐凝息，垂下眼簾，將雙目轉十四次，緊閉少時，忽然大睜。久而久之則眼之內障外翳自散。須忌色慾，並書細字。有道是：喜怒傷神目不明，垂簾閉目養元精，精生氣他神來復，五內陰魔盡失驚。

——取材自《析疑指迷論》

【注】白內障發生的原因，多半是與年紀衰老，晶狀體變混濁有關，此外，糖尿病、外傷、藥物或先天性的因素，也有可能導致白內障。因此，若發覺罹患白內障，應就醫對症下藥，切

莫輕信偏方。

86 本草藥方（治內障眼秘方）

蘇東坡從《本草》中獲得治白內障的方子，屢試屢驗。《本草》云：「熟地黃、麥門冬、車前子相雜，治內障眼有效。」其法如下：細搗諸藥，羅蜜爲丸，如桐子大。三藥皆細搗羅和合，異常甘香，眞可謂奇藥。

此外，露蜂房、蛇蛻皮、亂髮，各燒成灰燼，各一錢，以酒服下，可治瘡久不合。

——取材自《仇池筆記》

【注】此方不宜盡信，有病最好至醫院請醫師治療，方為上策。

87 皮硝桑葉湯（治眼腫秘方）

眼睛腫痛者，可用皮硝桑葉湯洗之即癒：以皮硝六錢，揀淨，桑白皮二兩，洗淨，生者更佳，二味入新砂罐中，用河水煎透，傾出澄清，溫涼洗眼，少頃又洗，每月只洗一日，須自早至晚洗十餘次。洗眼日期爲正月初五日、二月初二日、三月初三日、四月初九日、五月初五日、六月初四日、七月初三日、八月初十日、九月十二日、十月十二日、十一月初四日、十二月初四日。每逢洗眼日，清晨起床，齋戒焚香，向東洗之。洗一年後，症狀輕微者已可見效，年紀大或病症嚴重者，堅持三十六個月，定能復明如初。以上日期是光明吉日，不可錯過。

——取材自《良方集》

【注】皮硝即芒硝，能洩火消腫、止痛。桑白皮為桑樹根部內皮，能解熱、消炎、消腫。但眼睛腫痛的原因很多，最好還是請眼科醫師檢查、治療。

88 煎厚朴汁（治失明祕方）

山西太原知府藥景錫失明十九年，忽有神祕醫人來訪，傳給他一個靈方：用厚朴五分，清水一碗，煎至五分，洗之即癒。藥景錫後官至山東萊州知州。

未洗眼之前，必須齋戒沐浴；即將洗眼時，須對著日光焚香，一日三次。這一神方已傳七代，治好的病家不可勝數。此方簡便易行，洗必有益。另外，洗眼的最佳日期是：正月初三日、二月初六日、三月初三日、四月初五日、五月初五日、六月初四日、七月初二日、八月初九日、九月初十日、十月初三日、十一月初四日、十二月初四日。

——取材自《暗室明燈》

【注】厚朴能健胃、整腸，治療腹痛、喘咳、嘔吐、瀉痢，似無治眼疾的效果，因此若視力衰退、失明者，應至醫院檢查、治療。

89 天然水洗眼（治眼疾祕法）

凡是患眼病的人，在眼疾初起時，將潔淨的開水，盛入潔淨的茶杯，用潔淨的玄色絹布趁熱淋洗，待水混濁後，換水再洗，一直洗到水清無垢方止，如此數次即癒。水內並未添加任何藥物，所以名爲「天然水洗目」。

——取材自《浪跡叢談》

【注】眼科醫師表示，洗眼只是將眼部的髒東西、分泌物洗去，暫時舒緩眼部不適，但無法洗去眼部細菌、黴菌甚至寄生蟲，建議若眼睛出現紅腫、發癢、疼痛的症狀時，一定要找眼科醫師檢查、治療，光洗眼是沒有用的。

90 燒酒漱口（固齒止痛法）

《雲煙過眼錄》中有一擦牙方：「生地黃、細辛、白芷、皀角各一兩，去黑皮和籽，入藏瓶，用黃泥封固，以炭土五六個悶燒，炭盡以後，入白殭蠶一分、甘草二錢，合爲細末，早晚用以揩齒牙，可使牙堅固，並治牙齦出血和牙齒動搖等疾。」

擦牙雜方極多，以下選擇經試用有效者錄之。如用川椒、細辛各一兩，草烏、蓽撥各五分，研末後擦拭欲落之牙，可使復固。又如用枯礬、松香、青鹽各等分研末，擦之亦有效。

然均不如支筠觀察方廉所傳一方：「生大黃一兩、杜仲五錢、熟石膏八錢、青鹽一兩，合研末擦之。」當我（《浪跡叢談》作者梁章鉅）牙痛得很劇烈時，用此方即癒，眞是擦牙之第一良方。

按：世傳之治牙痛方，還有用細辛、芫花、川椒、小麥各五錢，煎湯漱口也有效，但不可咽下。此外，用上等燒酒漱口亦可。用桂圓一個，開殼裝滿食鹽，燒透存性，擦之，或番瓜蒂焙乾研末，擦之亦有效。

——取材自《浪跡叢談》

【注】恆齒既已動搖，要想用中藥擦牙讓它恢復堅固，似乎不太可能。

91 煙草搗汁（除頭蝨祕方）

當今，上自公卿士大夫，下至差役、轎夫、婦女，無不嗜好吸煙，於是農夫大量種植煙草，頗獲厚利。考證《本草》、《爾雅》二書，對煙草均無記載。據姚旅《露書》說：呂宋國有一種草，名叫淡巴菰，又名金絲。薰煙氣從管中入喉，能令人醉，而且還避瘴氣。搗出其汁，可毒頭虱。起初是漳州人從海外攜來，莆田也有種植，反比呂宋產量多。現在不僅是福建，各地都廣爲種植。

——取材自《香祖筆記》

【注】煙草又名相思草（因爲吸煙會成癮，終身不厭），雖然能治風寒濕脾、避瘴癘之氣，具驅寒、化

痰的效果，且本身含有毒性，可毒頭蝨，但因它含有尼古丁等致癌物質，所以吸煙不但有礙身體健康，二手煙也會影響他人健康，尤其孕婦吸煙，更會影響胎兒正常發展，父母吸煙，也會影響子女的健康。

92 小睡片刻（治狐臭方）

治腋臭良方：用蒸熟的麵食一塊，切成兩片，摻密陀僧細末一錢許，急挾在腋下，略睡片刻，待麵食冷卻，即丟棄。如果一腋只用一半，最爲有神效。所謂腋氣之臭，即俗稱「狐臭」，無論男女，患之均討人厭。

——取材自《奇效良方》

【注】狐臭是由於一種稱為「頂漿腺」的汗腺所分泌的汗水，被細菌分解後而形成難聞的氣味。由於頂漿腺多分佈在腋下，因此異味往往從腋下散出，令人困擾。只要保持腋下乾爽、清潔、通風，必要時使用制汗劑來減少頂漿腺汗液的分泌，就能降低狐臭異味的產生。密陀僧有吸汗、止汗的作用，但因含有毒性，使用前最好能諮詢中醫師，以免中毒。

93 炒熟槐花（治失聲祕方）

歐陽修在寫給梅堯臣的信中，有一神方：凡是失音者，將槐花於新瓦上炒熟，置懷袖中，隨處送一二粒於口中，咀嚼之，使喉中常有氣味，久之聲自通。

——取材自《斯陶說林》

【注】槐花具清熱、涼血、止血的功效，似無治療喉痛聲啞的效果。倘若喉痛失聲，最好還是去醫院檢查，對症下藥。

94 日月丸（治難產方）

有位奇僧傳難產方：杏仁一個去皮，一邊書「日」字，一邊書「月」字，以蜂蜜黏封，再熬蜜成丸，或滾水，或酒，吞下，試之有驗。

——取材自《曨語》

【注】此方並無科學根據，切莫輕易嘗試。

95 煎鮮荷葉（胎衣不下治法）

產婦胎衣不下，可用鮮荷葉剉碎，入水濃煎，服後即下。又一方，用一普通日用酒瓶口一吹，即下。

——取材自《浪跡叢談》

【注】胎衣在古代指的是胎盤。荷葉味苦性平，除治產後胎衣不下外，還可治腹脹、腹痛，生津

止渴。不過用酒瓶吹來使胎衣產下，則無任何科學根據。

96 搗爛蔥白頭（嬰兒通尿秘方）

小兒初生，小便不通，急以蔥白頭搗爛，作一小餅如錢大，取麝香三厘黏貼其上，綁於肚臍眼，小便就會立刻暢通，稍遲則不救。

——取材自《寄蝸殘贅》

【注】此方不宜輕易嘗試，初生兒有任何病症，均應立即就醫。

97 懸足倒豆（取出氣管異物法）

常照城中一巨姓人家之子，剛七八歲，於四月食鮮蠶豆，取最大一粒放入口中，不慎吸入氣管，當即發生哮喘，醫生皆束手無策，自薄暮至夜半，竟死。其家僅此一子，母親悲痛不已，沒過多久，抑鬱而亡。可惜當時沒有人知曉其理，因而無法取出氣管中的異物。其實很簡單，只要抓住小孩兩足，使之倒懸，則誤入氣管的蠶豆，一咳即出，本不用藥醫治，何必去請醫生？

三十年前，珍門廟有小孩吃海螺，結果誤吸螺殼入肺管，七八年前，又有家僕之子，年方十歲，亦將海螺殼誤吸入肺管，並拖延了一個多月而死，皆因不知治法而貽誤。又記載：

「小兒以豆誤塞鼻管而不能出，只要將此兒兩耳與口掩緊，不使通氣，再用筆管吹其無豆之鼻孔，則豆必自出，非常容易排除。」

——取材自《一斑錄》

【注】小兒科醫師表示，若孩童發生異物吸入氣管的情況時，先嘗試以劇烈咳嗽的方式咳出異物，若無法，再用哈姆立克急救法：站在哽噎者背後，雙臂環抱對方，再右手握拳，左手抱住右手，放在哽噎者心窩與肚臍的中間，然後以拳連續五次快速向上擠壓，將異物擠出氣管。

若是一歲以下的嬰兒，則應將嬰兒頭朝下放在手臂上，頭部比軀幹低約十五至三十度，然後以掌根在嬰兒背部兩肩胛骨之間，連續快速捶打五下，再翻過來置於大腿上，保持頭部低於身軀的姿勢，快速連續壓胸五次，將異物壓出來。

若仍舊無法將嬰兒或孩童氣管內的異物取出時，必須緊急送醫，切莫延誤。

98 新炭皮調粥（治誤呑鐵物方）

漳浦縣的蔡文慕公，經常對人說：「我在京校四庫全書時，常因出現訛字而被減薪，只有一件事使我大得其益。這件事是碰巧而遇的：我的一個小孫子偶然不慎，將一枚鐵釘呑進肚，醫生開朴硝等藥服用，卻是久攻不下，孫兒的身體也日見消瘦。後來，我在校閱《蘇沈良方》時，見書中有小兒呑鐵物方：剝新炭皮研爲末，調粥與小兒食，其鐵自下。依方一試，果然不謬，炭屑裹鐵釘而出，使我的小孫兒得以活命。爲使此方久存，故記述於世，以免湮沒失傳。」

——取材自《歸田瑣記》

【注】孩童誤吞異物，應立即送醫治療，切莫輕信偏方，以免延誤就醫時機。

99 硃砂烏梅（治驚風祕方）

治驚風祕訣：一厘朱砂一烏梅，麝香少許一同擂，再加幾點生人死，見了閻王也放回。

——取材自《斯陶說林》

【注】驚風為兒科常見的病症，分急驚風和慢驚風兩種，其中急驚風是指幼童突然受到刺激、驚嚇或生病而引起的發高燒、抽搐現象，應至醫院檢查是否罹患急症，及早對症下藥，方為上策。

100 打開鴿房（治小兒疳疾祕術）

張鐸僉事說，鴿子能預防小兒疳氣，所以應多造小房養鴿，然後每天清晨，叫孩子去開鴿房之門，使鴿氣著於面部，則無疳疾。

——取材自《宙載》

【注】「小兒疳氣」在中醫上指的是小孩因斷奶過早、飲食不節制或腹中有寄生蟲而出現毛髮稀疏、面黃肌瘦、易怒、吸吮手指、腹瀉、肚子膨脹等症狀。而鴿舍所產生的粉塵、羽毛，容易造成孩童過敏，鴿糞更是隱球菌滋生、繁殖的溫床，倘若孩童抵抗力較弱，很容易因吸入隱球菌而引發肺炎或腦膜炎，因此家中若有孩童，最好不要養鴿子，住家附近也最好不要有鴿舍。

101 豬腰收肛（治小兒脫肛法）

小兒脫肛不收，可用一方治之：取不落水的豬腰，用刀破一缺口，如荷包狀，將升麻置入其中，用濕紙厚厚包好煨熟，然後除去升麻，讓脫肛的孩子吃下豬腰，待藥性到後，再以溫水洗肛門，脫肛即可自收。

——取材自《浪跡叢談》

【注】脫肛是中醫名詞，指肛管、直腸甚至乙狀結腸下段翻出於肛門外的病症，多因痔瘡或上廁所時用力方式與姿勢不正確所導致，兒童、產婦和老年人尤其容易罹患。而升麻清熱解毒、升陽舉陷，可治喉嚨腫痛、牙齦腫痛、久瀉脫肛、子宮下垂等病症。

102 薏仁調酒（辛棄疾治疝祕方）

清嘉慶年間進士梁章鉅僑居邗江時，朋友居停主人患有疝疾，痛苦不堪。梁章鉅記得自己在清江浦做官時也曾患此疾，用荔枝核煎湯服用後即痊癒，於是建議居停主人試服。可連服多劑，仍無濟於事。某日，梁章鉅偶翻舊書，忽見書中夾有一紙，上寫道：「辛稼軒（辛棄疾）初自北方學朝，忽得瘻疝之疾，重墜大如杯。有道人教以服葉珠，即薏仁也。其法：用東方壁土炒成黃色，然後入水煮爛，放沙盆內，研成膏，每日用無灰酒調服二錢即消。程沙隨先生亦患此症，辛稼軒以此方授之，亦一服而癒。」梁章鉅得到這一頁紙，卻不記得自己是從哪本書中抄來的，便將此紙送給居停主人，教他如法製服。果然，五天後，居停主人的疝疾霍然痊癒。

——取材自《歸田瑣記》

【注】疝氣俗稱脫腸、墜腸，多見於男性，兒童與成人皆有可能罹患。醫師表示，任何偏方都只能治標，不能治本，而目前疝氣手術是一相當安全的小手術，倘若發現罹患疝氣，及早手術治療才是有效又安全的作法。

103 解褲坐甕（治疝氣絕術）

人若患疝氣病，可以用一口大甕，燒紅炭塹其下，炭上放白胡椒數粒，使患者解褲坐上薰之，有神效。另一方，取鮮橙子一枚，略搗綻，以濃酒煮之，熟後除去橙子，將酒飲下，亦有神效。

——取材自《浪跡叢談》

104 乳汁煎蓽撥（治痢疾祕方）

唐文皇患痢疾，命諸多醫師診治，均無療效。金吾長史張寶藏進獻一方：用乳汁煎蓽撥服下，立癒。

——取材自《香祖筆記》

【注】唐文皇即唐太宗李世民。蓽撥主治頭痛、牙痛、腹痛、腸鳴腹瀉，能溫中暖胃，消食止痛。

105 草湯洗肛門（治痔瘡、血崩祕方）

黃某，盧州人，來郡遊玩時，偶爾用偏方為人治病，都很有效。記其三方：一是治痞積方。用大蓖麻一百五十個，去殼，槐樹枝七寸，香油半斤，二味同入油內浸三晝夜，熬至焦，去渣，加入飛丹四兩成膏，再入井中浸三晝夜，取出，先用皮硝水洗患處，再將膏貼上。

二是治痔瘡方。大便以後，先用甘草湯洗肛門，取五倍子、荔枝草二味，用砂鍋煎水，燙洗肛門。荔枝草又名癩蝦蟆草，四季皆有，面青背白，麻紋壘壘，其味奇臭者便是。

三是治血崩方。用豬鬃草四兩，童子小便、清酒各一盅，煎成一盅溫服，豬鬃草如莎草，葉圓，用前要先洗乾淨。

——取材自《香祖筆記》

【注】痞積是指腹腔因脾臟腫大或其他疾病而產生的硬塊。飛丹則為道教養生的丹藥之一。無論痞積、痔瘡或血崩，最好還是到醫院治療，不宜輕易嘗試偏方。

106 牛糞煨豬心（治胡言亂語方）

李葛峰太守有一則治痰迷譫語的奇方。凡是譫語不休的人，都因爲心被痰所控，可用鮮豬心一個，將辰砂一錢、甘遂二錢，合研爲末，藏於豬心中，外用牛糞煨熱，取出藥末，和作兩丸，再將豬心煮成湯汁，和丸呑下即癒。當時，蘇州有人患痰迷病，服了此方後立即痊癒。李葛峰自己也曾用過，非常有效，因此便將此祕方傳給梁章鉅，由他記載下來傳世，留給後人備用。

——取材自《歸田瑣記》

【注】若出現胡言亂語、神智不清的狀況，應立刻送醫救治，查明病因，再對症下藥，方為上策。

107 以意用藥（心病治療法）

歐陽修提過一則神技救命的故事：有一位患病的人去看病，醫生問他得病的緣由，病人答道：「是乘船遇風，受驚而得之。」醫生便取出多年柁牙，在病人手汗所漬的地方，刮下細末，再雜以丹砂、茯神之類的藥物，飲之即癒。

《本草注．別藥性論》裡寫道：「止汗用麻黃根節及故竹扇，研末服之。」歐陽修由此而說：「醫生以意用藥，比比皆是。初看像是兒戲，但卻有靈驗，不能隨意指責。」

——取材自《東坡志林》

【注】有些心理因素也會造成身體出現頭痛、頭暈、嘔吐、肚子痛、拉肚子等病症，只要找出生病的真正原因，建立病人的自信心，或者舒緩病人的壓力、消除其心理障礙，多數因心理作用而引起的病症，就會消失不見。

108 鹽水一碗（戒鴉片祕方）

大凡鴉片上癮的人，每日吸煙須五六錢才夠過癮。上海某人有煙癮已五年，一日，在異人處得戒煙方，方中僅用鹽湯一味，忽然悟出道理：鹽所以有用，在於利潤腸，兼清火解毒之功。鹽與煙如水火般格格不入，因此吸煙者大多喜歡吃甜食而惡鹹食。某人自從得此方後，晨起飲鹽湯一碗，每欲吸煙，又飲一碗。才過兩天，便覺吸煙少味，六錢之癮，減至三錢。又數日，減去日間吸煙二次，只留晚間一次，僅吸一錢，亦覺無味。又數日，竟然把煙癮戒絕了。

【注】吸食鴉片者之所以愛吃甜食，是因為吸完鴉片後，口裡會留有苦味，而甜食正好可以沖淡苦味。除了鴉片以外，吸食大麻等毒品的人，也嗜吃甜食。

——取材自《庸庵雜記》

109 酸醋洗腸（塞腸回肚術）

被人刺破肚皮，腸子流出體外，可用上好酸醋煮暖，將腸血洗淨，邊洗邊將腸子塡入腹腔內，然後在腹部創傷處用活剝雞皮乘熱貼上，再口服至眞散，半月之後，雞皮自動脫落，傷口痊癒。

——取材自《多能鄙事》

【注】內臟外露十分危險，應立刻送醫急救，切莫拖延。

110 甘草膏（戒鴉片祕方）

鴉片煙是中國幾千年來從未有過的毒品，現在竟從數萬里之外傳到中國，大眾深受其害，煙癮難戒。如欲戒煙，當先除癮，而欲除癮，必先覓方。現在街肆所售戒煙藥，種類很多，服用後似乎都很有效，卻不知其仍用煙膏所製，所以一旦停服，則煙癮如故。

我（《墨餘錄》作者毛祥麟）從友人處得一戒煙之方，其藥易製而價廉，效果雖緩慢，卻對人體無害，據說已經挽救了很多人。如浙江寧波葉某，本來煙癮很大，按此藥方製服後，不到半年就戒絕了鴉片癮。此藥方只用粗大粉甘草一味，數量不拘，熬成與鴉片一樣的膠狀，姑且稱其爲甘草膏。起初先用鴉片煙九分，加入甘草膏一分，照常吸之，以後逐漸減少煙的份量而增加膏的份量，仍然吸之，直到煙僅一二分，膏有八九分，則煙癮自然斷絕。

——取材自《墨餘錄》

111 雞皮敷傷（起死回生術）

若遇到有人用刀割皮自殺，應趁其尚未額冷斷氣時，輕輕將其扶住，使其仰臥，將頭墊高，用乾淨布合攏傷口，拭去血。即刻抓一隻大公雞，迅速拔去雞毛，活剝雞皮，趁熱將雞皮貼在傷口上，口服至眞散，傷口便可慢慢恢復，傷口癒合後，雞皮會自然脫落。

第二種方法是，合攏傷口拭去血跡後，用生熟松香各半，加生半夏末，將傷口厚厚敷緊，外用膏藥黏緊，再用布條圍住，每日服至眞散三錢。即使食道、氣管全斷，若用此法一月之後也可痊癒。若是傷患氣管已斷，大氣已絕，只要身體微軟，亦可用上述方法敷治，並灌回生丹，一樣可以將人救治。

——取材自《多能鄙事》

【注】搶救自殺者最好的方式就是盡快送醫，而非嘗試偏方。

112 頂住肛門（吊死者救命秘術）

如果發現有人上吊，千萬不能馬上割斷繩子，而應用衣服包緊其雙腳，用手緊緊頂住肛門，如果是婦女，還需頂緊陰門，然後抱住輕輕放下，讓其躺在棉被上。之後，一人踏住吊死者的雙肩，雙手用力緊拉其頭髮，不要讓其頭下垂；一人輕輕揉撥喉嚨，一人按摩心胸和腹部，一人摩捏手腳，慢慢屈伸，便可使吊死者逐漸甦醒。

如果吊死的時間略長，身體已硬直，則應頂住肛門、陰門，不讓其洩氣，然後兩人用竹管分別吹死者的兩耳，不能停口，一邊用雞血滴入死者鼻中（男左女右）經過十五分鐘或更長一點時間，就可以感覺到有氣從其口中吐出，此時一切工作仍不能放鬆，過了一會兒，用淡薑湯滲入其嘴，滋潤其喉，直至其手腳能逐漸活動時方可停止救治。若吊死者已吊死一天一夜，周身已冷，但還是有希望救活的，如果身體稍軟心下微暖，即使是斷氣一天以上，只要依照上述方法，多吹多摸，仍能救活。

——取材自《多能鄙事》

113 鴨血滴喉（中毒救命術）

若有人中各種毒藥而死，在剛死不久，取活鴨，斷其頭，以鴨頭插入死者口中，使鴨血三兩，滴入喉中，即可甦醒。

——取材自《太平御覽》

【注】鴨血在中醫學裡具有補血和清熱解毒的功效，能解金、銀、砒霜、鴉片、蟲咬諸毒。但生食鴨血恐感染禽流感等疾病，且目前醫學進步、發達，因此若出現中毒症狀，應將中毒者送醫急救，不宜嘗試偏方。

114 灌白鴨血（吞砒霜者急救術）

遇到吞服砒霜之人，可用一兩防風，磨成細末，沖冷水服下，或將防風放於冷水中搗汁服下亦可，也可殺白鴨取製鮮血趁熱灌下，轉眼即可化險爲夷。

——取材自《多能鄙事》

【注】砒霜為一種無色無味的白色粉末，可容於溫水和茶、酒當中，一旦加熱，就會出現類似蒜頭的臭味。因為它的主要成分為三氧化二砷，因此含有劇毒，主要用來毒老鼠，但也常被拿來當作毒害他人或自殺的工具，僅服食一毫克即會出現砷中毒的症狀。

115 防風一兩（解砒霜毒祕方）

歙縣蔣紫垣，有解砒霜毒的祕方，但必須重金討求，否則坐視其死。後來，蔣紫垣在獻縣暴卒，托夢給居停主人說：「我以貪利之故，誤人多命，冥司判我世世服砒霜而死。今特以解砒霜方相授，請你傳諸世，以贖前罪。其方爲：以防風一兩，研末，水調服，並無他藥也。」

另有解砒霜方，據鄧葵卿《異談可信錄》載：以冷水調石青，解砒毒如神。又云，服鹽鹵的人，往往腸斷而死，但飲豬油即解，此方不可不知。服鹵者，飲燒酒也能癒。

——取材自《池上草堂筆記》

【注】鹽鹵為製鹽過程中產生的液體，主要成分為二氧化鎂，此外還有氯化鈉、氯化鉀等，一般用來製作豆腐，但對黏膜、皮膚會造成傷害，若直接吞食，將腐蝕口腔、食道、腸胃黏膜，造成噁心嘔吐，甚至休克死亡。若不慎誤食，可先讓中毒者喝牛奶、米湯或豆漿保護腸胃，再送醫急救。

116 不能見日（呑鴉片暴死救命術）

呑服鴉片自殺者，即使手腳已冷，呼吸已停，還是可救的，最有效的辦法是：殺活鴨取血灌入，死者即可甦醒，也可迅速將死者放到潮濕處，用筷子撬開其口，再用白糖調冷水灌下，另用兩三塊濕冷手巾敷於胸前，不斷更換，再將其頭髮放置盆中，用冷水沖洗，須記住不可讓死者見太陽，一見太陽就沒有救了。即使已死兩天手腳變黑的人也可救活，因爲服鴉片死的多數是假死，兩三天沒有氣，只是昏醉而已。大凡吞服鴉片而死的屍骨，待挖出來時，屍骨的面大多朝下，也有朝側面的，唯獨朝上者極少，而人死後入殮是皆爲面朝上的，由此可證明這些服鴉片而死的人埋到土中後，煙毒散盡，重新活轉，都是在棺木中掙扎翻滾，窒息而死的，所以挖出的屍骨都不是入殮時的朝向。

——取材自《多能鄙事》

【注】所謂假死，就是患者或傷者已失去意識，且呼吸、心跳、脈搏極微弱，令人不易察覺。而鴉片中毒的確有可能出現假死的症狀。

117 土漿拌屎汁（治誤食毒菇祕方）

楓樹上生的菌，人不可食，若吃了，即會大笑不止。解治之法：可用土漿拌和屎汁飲下即癒。

——取材自《博物志》

【注】食物中毒應盡快送醫，不宜嘗試偏方。

118 飲地漿水（治誤食毒菇祕方）

菇可食，但並非所有菇均可食用，有些菇含有劇毒，食者往往致死，而世人不知其害，所以經常發生誤食毒菇而死的不幸事件。王士禎的學生葉元禮（字舒崇）的父親和叔叔在山中讀書時，某天採了一些看起來不錯的野菇回來烹煮，結果吃完後都中毒身亡。王士禎（《香祖筆記》作者）經常將此例講給人聽，希望引以爲戒。此外，還有一種楓樹菌，吃了會大笑不可止。

陶弘景在《本草注》裡說，如果食菇中毒，可在土地上掘一坑，注入冷水攪混，過一會取水飲用，這叫「地漿」，可解毒菇之毒。

——取材自《香祖筆記》

【注】清代《本草備要》記載，地漿水能解一切魚肉、菜果、藥物、諸菌毒。但若誤食野果、野菇中毒者，還是應該趕緊送醫，以免造成肝腎衰竭。

119 各式偏方（治病祕術）

治嚴重痢疾：撫州有一商人得了痢疾，病情非常危急，太學生倪某用當歸末、阿魏做丸，以白滾湯送下，三服即癒。又一治痢方：將黃花、地丁搗汁一酒盞，加蜂蜜少許，服之神效。

患濕痰腫痛不能行：將稀薟草、水紅花、蘿蔔嬰、白金鳳花、月龍骨、花椒、槐條、蒼朮、金銀花、甘草等十味煎水，蒸患處，待水稍溫，再洗患處。

治疝氣：將烏藥六錢、天門冬五錢，白水煎服，神效。

治小便不通：芒硝一錢，研細末，以龍眼肉（桂圓）包之，細嚼咽下，立癒。

治血崩：當歸一兩、荊芥一兩、酒一盅、水一盅，煎服立止。

治腫瘤：用竹刺將瘤頂稍稍撥開，勿令見血，細研銅綠少許，撒在撥開處，再用膏藥貼好。

接骨方：取土鱉，用新瓦焙乾，半兩錢醋，淬七次，自然銅、乳香、沒藥、瓜子仁各等量研成細末，每服一分半，用酒調下。上體受傷，食後服；下體受傷，空腹服。

治疫腫頭面方：金銀花二兩，濃煎一盞服之，腫立消。

針入腹：用櫟炭末三錢，井水調服，即下。又一方：以磁石置肛門外引下。

——取材自《金陵瑣事》

【注】以上偏方不宜盡信，有病最好到醫院請醫師治療。

120 真假自辨（民間療疾祕術）

凡溺水或服金屑者，用鴨血灌之，即癒。

耳暴聾，以金蠍子去毒研成細末，用酒調和，滴入耳中，聽到水聲即癒。

將枸杞子榨油，點燈看書，對視力有幫助。

金屬物所導致的瘡傷，用獨殼大栗子研乾末，敷之立癒。

欲治喉痹、乳鵝，可將蝦蟆衣、鳳尾草擂細，入鹽霜梅肉，煮酒各少許調和，再研，然後以細布絞汁，拿鵝毛蘸塗患處，吐痰即癒。

惡瘡腫毒初起時，先將當歸、黃蘗皮、羌活研細末，再拿生鷺鷥之膝搗汁，調和細末敷於瘡四圍，自然收毒，聚作小頭即破，切不可敷在瘡頭上。

骨鯁進入食道而不下時，可灌狗唾液；穀芒進入食道而不下時，則灌鵝唾液，立即見效。

宋孝宗食蟹過多，腹瀉不止。有個叫嚴防缶的，將新採的藕節研細，以熱酒調服，進呈皇帝服用，宋孝宗喝了以後，果然痊癒。

治眼生赤障者，可取白螺一枚，除去掩蓋，以黃蓮末摻之，放在露天過一夜，拂曉取肉已化爲水，拿它滴眼睛，則障自消。

治咳嗽方：香櫞去核，切成薄片，以清酒同研，置入砂罐內煮爛，熬煮時間自黃昏至五更爲佳。之後，用蜜拌勻，將熟睡中的患者搖醒，用湯匙挑服，效果奇佳。又一方：取向南生長的柔桑條一束，每條折斷成寸許小段，然後放入鍋中，加水五碗，煎至一碗，渴即飲用，效果也不錯。

治水腫方：將田螺、大蒜、車前草混合研成膏，做成大餅，覆蓋在肚臍上，水從便中溺出即癒。

——取材自《養痾漫筆》

【注】以上偏方不宜盡信，有病最好到醫院請醫師治療。

121 大蒜塗魚唇（救魚不死法）

拿條鯉魚去走親訪友，萬一因路途較遠，鯉魚無水而將死時，可將大蒜搗碎，然後把蒜汁抹在鯉魚嘴邊，鯉魚就會活蹦亂跳。如果鯉魚已經死去，則可將大蒜汁摻茶末塗在魚身上，那麼死鯉魚烹調起來就和鮮魚的味道一樣，絕不變味。

——取材自《廣雅》

【注】大蒜具消毒、殺菌、去腥的作用，雖無法救魚不死，但可暫時去腥保鮮。

122 嘴填茶末（活魚不死絕技）

有種一方法，能使魚離水十天、攜帶行走萬里而不死：將上等茶末填到鯉魚嘴內，再用水浸濕幾張紙，層層包裹在魚身上，然後裝入箱中。如此一、二十天後，鯉魚依然活著，到了目的地，將箱中的鯉魚放入水中養，魚兒還異常活潑，烹時味道遠比一般魚兒鮮美。

——取材自《廣雅》

123 人工通便（救馬奇術）

治療馬因大便不通而無法行動，幾乎快死的辦法：手用油塗抹後，伸進馬的肛門裡，直至直腸內，摳出鬱結在腸內的屎。若是小便不通，則把鹽放進馬尿道裡，一會兒，尿就會出來，小便也通暢無阻。

——取材自《齊民要術》

【注】治療馬便秘的人工通便法。至今仍為獸醫師使用。

124 衝散膽氣（治瘋牛絕技）

有的青壯年公牛，性情暴烈，常常喜歡用頭角撞人，如不提防，很可能會將小孩撞死。這種牛我們通常把牠說成瘋牛。要治服這種牛，現有一法，效果甚佳：用重劑量的大黃、黃蓮、蘆根、黃酒等灌入牛肚，使牛的膽經熱氣散去，性情就會變得溫馴可愛了。

——取材自《博聞錄》

125 熱水洗疥（治羊疥秘術）

治療羊疥的藥方：取藜蘆根，用牙齒咬破，放在洗米水裡浸泡，然後用瓶裝著，塞住瓶口，放在灶邊經常保持暖熱，幾天後發出像醋的香味，就可以作藥了。使用前，先用磚瓦片刮羊疥，讓它發紅。如果結的硬痂很厚，也可以先用熱水洗疥。揭去所結的痂，再拭得發熱後，塗上藥汁。連塗兩次，就會痊癒了。如果長的疥很多，就每天塗不同的部位，逐步進行，不要一次塗滿全身；有時羊太瘦，禁不住藥性就會死去。

另一藥方：像前面一樣除去硬痂，然後把葵根燒成灰備用。接著，把醋生成的沉澱物煮熱，趁熱塗上，再用灰厚厚地敷上。上過兩次藥，疥就好了。天寒時，不能剪毛，剪去毛，羊會被凍死。

又一藥方：用臘月的豬油，加上雄黃，塗在疥上，疥也會好。

鼻出膿、眼睛不明亮的羊，都可用「中水」治療。具體方法是：把大量的鹽放入熱水中溶解，待水變冷後，倒取上面的清水，用能容納雞蛋的小角，在病羊的兩鼻孔裡各灌一兩。鹽水不僅能治病，而且羊的鼻、眼再不會長蟲。五天後，羊一定會飲水，屆時再以眼、鼻乾淨與否作爲病癒與否的憑證；如沒有治癒，就再灌，方法和前面一樣。

羊鼻出膿，口臉產生像乾癬一樣的瘡時，稱爲「可妒渾」，相互間很容易傳染，一旦染上，多半會死，還會使整群羊死光。治療的方法是：在圈中豎立一長竿，竿頂端擱一橫木板。把獼猴放在板上住幾天，羊的病自然就會痊癒了。獼猴能避邪，若常拴在羊圈中，羊便不容易生病。

——取材自《齊民要術》

第三章 茶酒美食

126 價比金貴（蠟茶絕製）

每逢仲春上旬，福建漕司向朝廷進獻第一綱（宋代將茶分爲十綱，即十個等級）蠟茶，名爲「北苑試新」，數量很少，極其珍貴，都包成小小一銙（當時茶餅的量詞），進貢時也不過百來銙。

「北苑試新」的包裝極爲講究：先以黃羅包裹，蓋上大朱印，再裝進黃羅製成的軟盒，然後放入朱漆小匣，鎖上鍍金鎖，最後以細竹絲織成的箱子裝貯。這種茶是以雀舌水芽製成，一小銙就値四十萬金，且僅能沖泡幾杯而已。倘若皇帝拿一兩個賞賜群臣，群臣就會將它分成幾小塊，各自珍藏，捨不得泡來喝。

此茶初進御時，是由翰林司負責品嚐的，依照慣例，有所謂的「品嚐費」，即漕司官員的賄賂費，以免品嚐者批評茶的味道不好。品嚐時，若遇茶味不能令人滿意，則可在茶中加入少許的鹽，讓茶味能充分發揮，恢復水準。

——取材自《武林舊事》

【注】現今普遍用乾燥的茶葉來泡茶，但在明朝以前，大眾卻習慣將茶製成堅硬的茶餅或茶團（類似現在的潽耳茶餅），蠟茶即是其中之一。根據古書記載，蠟茶的泡法是：將雜以龍腦、油膏的茶團先用溫水去膏油，後用不透氣的紙包起來捶碎，以火微烤，再加以碾羅，然後以熱

開水沖泡。

127 龍鳳團茶（貢茶精品）

江南盛行製茶，尤以龍鳳團茶為最上品，一斤共有八餅。北宋慶曆中，蔡君謨在福建任轉運使，開始製造小團茶以充貢品，一斤二十餅，這就是上品龍茶。宋仁宗品嚐後，十分喜歡，將它視為珍寶，即使最親近的宰相、大臣，也不輕易賞賜，只有在郊禮致齋的晚上，才將一餅賜予兩府（一府有四大臣，因此是八個大臣共分一塊茶餅）。欽賜的茶餅上，貼著宮人用金箔剪成的龍鳳花，八位大臣小心翼翼地將它平分後，即帶回家當作奇珍異寶收藏，根本捨不得烹飲，且只有當嘉客登門時，才出示傳玩。歐陽修曾說：「茶為物之至精，而小團又其精者也。」

——取材自《歸田錄》

128 茶有九難（品茶絕技）

從採茶到製茶，從煮茶到飲茶，都是一門學問。概括起來，茶有九難：陰採夜焙不是造茶的最佳時間；嚼味嗅香不是鑑別茶的最好方法；膩鼎腥甌不是盛茶煮茶的最好器皿；膏薪庖炭不是焙茶、煮茶的最好火候；飛湍壅潦不是沏茶最好的水，外熟內生不是炙到最佳程度；碧粉縹塵不是最好的茶末；操艱攪遽不是最好的煮茶之方；夏興冬廢不是最好的飲茶習慣。

——取材自《茶經》

【注】唐代的陸羽因為精於茶道，又寫了世界第一本的茶葉專書《茶經》，因此被稱為「茶聖」。他提出的「茶有九難」，其實正是告訴大眾如何泡出一壺好茶來——首先是關於茶葉：不要在陰天時摘採，不要在晚上製茶；其次是鑑別茶葉優劣：不要隨便咀嚼茶葉、不要光用鼻子聞；接著是煮茶的器具：不可用沾過葷腥的器皿煮茶，以免茶味受到影響；再來是用火：不可拿沾有油脂或烤過肉的薪炭來煮泡茶用的水，以免走味；然後是選水：不可取急流或死水烹茶；然後是烤茶餅（唐代多用茶餅煮茶）：茶餅若烤得外熟內生，泡起來會不好喝；然後是碾茶餅：不可將茶餅碾得太細，像粉塵一樣，以免失去茶的原味；然後是煮茶：烹煮過程中攪拌茶葉時，動作不能太急促；最後是品茶：只在夏天喝茶而冬天不喝茶，並非好的飲茶習慣。

129 活火煎茶（煎茶絕技）

據《因話錄》云：李約嗜茶，並表示：茶必須用緩火炙烤，用活火烹煎。何謂活火？即炭火裡有火焰者。

又據《三山語錄》云：五代鄭愚有一首茶詩曰：嫩芽香且靈，吾謂草中英。夜臼和煙搗，寒爐對雪烹。唯憂碧粉散，嘗見綠花生。

——取材自《錦繡萬花谷》

130 隔水煮花茶（徐文長煮茶法）

徐文長有一種「以花煮茶」的烹茶法，被傳爲品茗絕技：先將茶葉放進錫瓶裡，再把花朵雜入其中，隔水加熱，水沸騰即拿起。之後，把花茶曬乾，如一般泡茶法沖泡，則泡出來的茶湯，都會帶有花香。花茶所使用的花朵，種類不拘，梅花、蘭花、桂花、菊花、蓮花、茉莉、玫瑰、薔薇之類，皆可嘗試。

茶性最淫，著物即染。然而，用花煮茶之法，只適用於中品之茶，若用上品的茶葉，反而茶香被花香所奪，甚爲可惜。

——取材自《斯陶說林》

【注】現今的雲南有一種花茶，茶葉看起來很普通，裡頭也沒摻花瓣、花朵，然而沖泡出來的茶水，卻帶有濃郁的花香。據說這是當地人將茶葉種在蘭花和桂花中間，即茶田裡一排蘭花、一排茶葉、一排桂花，使茶葉自然吸收花的香氣，因此摘採焙製後，茶葉仍保留花的香味，成為特殊的花茶。正因茶葉容易吸收各種氣味，所以平時必須將茶葉密封保存，否

則容易走味。此外，也有人用茶葉來除臭，效果奇佳。

131 竹間寶地（製茶術）

唐代製茶與宋代不同。在宋代，採茶人摘下芽片後，即蒸熟焙乾。唐代採茶人則是旋摘旋炒。劉夢得試茶歌云：「自傍芳叢摘鷹嘴，斯須炒成滿室香。」又云：「陽崖陰嶺各不同，未若竹下莓苔地。」由此可見古人認爲在竹林裡生長的茶最佳，宋代也是如此。唐代末期有用臼碾磨製成的茶，多是煎茶，所以張志和曰：「碑樵青竹裡煎茶。」柳子厚云：「日午獨覺無餘聲，山童隔竹敲茶臼。」

——取材自《猗覺寮雜記》

【注】茶農表示，在日光充足、排水良好、高山低溫、濕潤且無污染的環境下生長的茶樹，才能製成上等的茶葉。

132 茶色如乳（御泉茶製作法）

龍焙泉茶即御泉茶。相傳北苑所製作的這種貢茶，芽細如針，並以御水研造，每計工值錢四萬分，烹煮出來的顏色以近似乳白色爲最佳。

——取材自《錦繡萬花谷》

【注】宋代所產貢茶最有名的地方，是福建建州的鳳凰山，人稱「北苑茶」。有人認為，北苑即是鳳凰山的別稱，但宋．沈括在《夢溪筆談》裡表示，「北苑」並非鳳凰山的別稱，而是因南唐李後主時期，一位擔任北苑使的官員擅長製茶，人們爭相搶購，並稱他所製作的茶葉為「北苑茶」。此後，「北苑茶」便成為上等茶葉的代稱，一直沿用到宋代。

龍焙泉茶產於福建建州鳳凰山。它之所以被稱為御泉茶，是因為鳳凰山上有鳳凰泉，一名龍焙泉，又稱御泉，因此以這泉水灌溉栽培與研造的貢茶，便被稱為龍焙泉茶或御泉茶。

133 爛石與黃土（識茶術）

上等之茶生長在爛石中；中等之茶，生長在礫壤內；下等之茶，生長在黃土裡。依此識別茶之優劣，必無誤。

——取材自《茶經》

134 水中絕品（茶水祕識）

陸羽《茶經．論水》云：泡茶用的水，以山水爲上，江水爲次，井水爲下。山水中，乳泉石池漫流者爲上品，瀑湧湍漱之水千萬別喝，因爲長期飲用會讓人罹患頸疾。至於江水，應在離人較遠處汲取；井水則應汲取井中水量多的。

陸羽論水的次第有二十種，以廬山康王谷水第一，無錫惠山泉第二，蘇州虎丘寺石泉水第五，揚子江（長江）南零水第七，吳淞江第十六，雪水第二十。劉伯芻則認爲，水以揚子江南零水第一，無錫惠山泉水第二，蘇州虎丘寺石井水第三，丹陽縣觀音寺水第四，揚州大明寺水第五，吳淞江水第六，淮水第七；似與陸羽看法相反。

歐陽修認爲，水味有好有壞，若只得一二就論其次第，乃是妄加評斷。

——取材自《六一集》

135 聽聲辨識（煮水沏茶秘訣）

李南金所著的《三茶經》說，沏茶所用的水，以煮到水中汽泡如同魚目湧泉連珠爲佳。然而當今世人已很少用鼎鑊，多用銅瓶煮水，所以很難看到水中冒汽泡。不過可以水沸時所產生的聲音來辨別，即所謂的一沸、二沸、三沸。又據陸羽的經驗，在未用茶鑊的情況下沏茶時，以第二沸最好。倘若不以沸湯泡茶而直接用茶甌沏茶，則以過二沸又尚未到達三沸之際，最爲適宜。

爲此，李南金作聲辨之詩云：「砌蟲唧唧萬蟬催，忽有千車捆載來。聽得松風並澗水，急呼縹色綠瓷杯。」其論固然精闢，但我（《鶴林玉露》作者羅大經）以爲沏茶之法，湯宜嫩而不宜老。因爲湯嫩則茶味甘，湯老則茶過苦。倘若煮水聲如同風刮松林、澗水潺潺時才泡茶，那味道豈不過於老而苦了嗎？最好是待水煮沸後，移瓶去火，稍待其沸止再泡茶，這樣，湯適中而茶味甘。這一點，李南金在《三茶經》中未曾講到。因此，我補以一詩云：「松風檜雨到來初，急引銅瓶離竹爐。待得聲聞俱寂後，一甌春雪勝醍醐。」

——取材自《鶴林玉露》

【注】泡茶的水溫，也是影響茶湯口感與品質的要素之一。泡茶的水溫依茶葉種類而有所不同，如烏龍茶或鐵觀音適合以一百度沸水沖泡，文山包種茶適合以九十五度沸水沖泡，綠茶、日式煎茶適合以七十或八十度的熱水沖泡，在夏季，日式深蒸煎茶甚至可以冷水沖泡。

136 預埋石灰塊（雪中暖酒絕技）

雪中暖酒，可謂不可思議，但只要掌握祕法，就輕而易舉了：將未化的大石灰塊埋在雪中，需暖酒時，把酒壺放到預先埋好的石灰塊上，再以冷水一瓢澆之。石灰碰到雪，就已開始溶解，被水一澆，更是溶解迅速，發出熱能來，置於其上的酒壺，自然就受熱而溫了。

——取材自《古今祕苑》

137 銅扁壺（酒漿變色法）

銅扁壺為漢朝古物，是一種盛酒的容器，約可容納五升。有時候用它來裝酒，不一會，酒就變成綠色，一如古人所說的「綠螘」。鄉下人用的酒器，有錫做的，有陶做的，也有皮革做的，大抵都攜帶方便，利於遠行或放在車裡；還有叫「背壺」的，顧名思義，便於背負而行。也有叫「鱉壺」的，主要是因壺的形狀像鱉。

——取材自《鄉言解頤》

【注】綠螘為唐代的一種美酒；該酒未過濾前，酒面上會浮起顏色微綠，細如螞蟻（螘同「蟻」）的酒渣。

138 貯藏十年（燒酒轉甜法）

凡是酒都越陳越香，因而越陳越貴，燒酒也是如此。袁枚說燒酒是人中之光棍，縣中之酷吏，打擂台非光棍不可，除盜賊非酷吏不可，驅風寒、消積滯非燒酒不可。燒酒若藏至十年，則酒色變綠，味道轉甜，就像光棍變成良民那樣，再無火氣，可以與之交結。

——取材自《浪跡三談》

139 石決明粉（酸酒變醇祕術）

白酒放久了容易變酸，此時眞是飲之無味，棄之可惜，今有一法可使酒味恢復：至藥店買石決明若干，放到火中燒烤後，研成細末，再倒進將加熱過的酸酒裡，並蓋緊瓶口，過約末一個時辰（兩小時），即可飲用。此時酒的味道不但不酸，而且相當醇美，有益身體。

——取材自《本草綱目》

【注】一八六〇年代，法國科學家巴斯德發現酒之所以會變酸，是因為乳酸菌的緣故，只要把酒加熱到攝氏四十五至六十度，就能消滅乳酸菌，讓酒不致走味（此爲巴斯德滅菌法，後來也應用到許多食品上，如鮮奶）。而石決明為鮑科動物的乾燥貝殼，含有碳酸鈣、膽素等，能中和人體胃酸，促進新陳代謝。

140 凍去酒中水（取醇酒祕法）

摻了水的酒，有方法可以將它們分開，但所摻的水不能過多，例如六分酒四分水，便無法可施。若七分酒三分水，只須在嚴冬之夜，將酒罈用薄紙封好，移到露天放置，次日一早揭開薄紙後，就會發現酒罈上面結一層薄冰，將冰除盡，其餘的就都是酒了。我（《浪跡三談》作者梁章鉅）在京師任職時，冬季每夜都用大碗盛酒，再按此法分離酒與水，如此第二天飲的，都是醇酒。

——取材自《浪跡三談》

【注】經實驗後發現（即將日式清酒與開水以七比三的比例混合，倒入碗裡，上用保鮮膜封住，放入冰箱冷藏室凍至上面結一層薄冰），即使除去薄冰，酒味仍與未冰前相同，且除去的薄冰，吃起來也含

有酒味，因此並不能用此法將酒與水分離。倒是許多加酒的料理如燒酒雞等，起鍋前都會以火燒之，作用在讓酒精蒸發，使菜肴既保留酒的香味，又降低酒精濃度，不易醉人。

141 雨水掏米（霹靂酒祕方）

用盛夏時節雷陣雨的雨水淘米釀成的酒，叫做「霹靂酒」。

——取材自《錦繡萬花谷》

【注】古人認為雨水、雪水皆從天而來，十分珍貴，並相信用它沖泡、釀造的茶、酒，味道特別好，所以常有貯雨水、雪水泡茶、製酒的習慣。現在由於污染嚴重，雨水、雪水的品質已沒有古代那麼好，尤其一些人口稠密或工業發達的地區，雨水還含有酸性，若經常被淋到，容易掉髮、禿頭。

142 簪刺蓮葉（碧筒酒祕製）

曹魏正始年間，歷城北郊有一大片的使君林。每逢盛夏三伏之際，鄭公愨都要率賓僚前去避暑。期間，他們摘下大蓮葉放在硯格內，並倒入三升的酒，然後以簪刺蓮葉，讓酒進入蓮柄；數日後，即可見彎曲的蓮莖上長滿象鼻形狀的輪菌，然後藉由輪菌傳吸其酒。據說這樣再製的酒，裡頭夾雜蓮香，清涼甘美勝於冰水，名曰「碧筒酒」。

【注】從夏至後的第三個庚日起，每十日為一伏，分別是初伏、中伏、末伏，合稱「三伏」，乃一年中最熱的時候。

——取材自《酉陽雜俎》

143 香飄林外（竹筒酒製法）

杜甫作有「魚知丙穴由來美，酒憶郫筒不用酤」的詩句。郫乃江名，在四川。據說，當地人會將春天釀好的酒倒進並不砍下的大直徑竹筒裡，然後用芭蕉葉包好，等酒香飄到林外時，才砍下竹子，截斷餽贈親友。這就是郫筒酒。李商隱〈錦石〉中亦有「錦石分棋子，郫筒當酒缸」之句。

——取材自《錦繡萬花谷》

144 花開才釀（梨花酒製法）

白居易的〈杭州春望〉裡有「紅袖織綾誇柿蒂，青旗沽酒趁梨花」之句。據說杭州人有一項風俗，即必須待梨花盛開、滿山皆白的時候，方才釀酒，而釀出的酒，稱「梨花春」。

——取材自《錦繡萬花谷》

145 瓶口懸花（製茉莉酒祕技）

選取色正味香的上等白酒灌入瓶中，上面空出三寸左右不裝滿，然後用竹編一個呈十字形或「井」字形的東西卡住瓶口，再選取新摘的茉莉花數十朵，並須離酒一寸左右，然後用紙密封瓶口。十天後，整瓶酒將充滿茉莉花香，茉莉酒就製成了。

——取材自《古今祕苑》

【注】白酒是指以高粱、大麥、小麥、稻米等釀造而成的高度蒸餾酒（如高粱酒、茅台酒、五糧液等），因為酒色大多無色透明，因此稱為「白酒」，也稱「白乾」或「燒酒」。而黃酒是以糯米或大米、黍米為原料釀造而成的低度釀造酒（如紹興酒、福建老酒等），因酒色多為橙黃、橙紅或黃褐、紅褐色，因此稱為「黃酒」。

146 御用藥酒（蘇合香酒祕方）

太尉王旦氣弱多病，宋眞宗親賜滿滿一瓶藥酒給他，教他空腹喝下，說這樣可以調和氣血、祛除外邪。王旦飲酒之後，感覺身體好很多，於是藉拜見皇帝的機會表示感謝。宋眞宗說：「此乃蘇合香酒，由一斗酒加一兩蘇合香丸煮成。這種酒最能調養五臟六腑，驅除各種疾病。寒冬早起時，就可飲上一杯。」於是又拿出好幾盅來賞賜給大臣。從此臣僚和百姓之家都仿製這種酒，蘇合香丸一時盛行起來。

這個藥方原本出自《廣濟方》，稱「白朮丸」，後人也把它編進《千金》、《外台》，是治病的「特效藥」，《良方》一書有十分詳細的敘述，可惜以前人不知好好運用。錢惟演匯輯的《篋中方》裡，對蘇合香丸的注釋是：「此藥原出自宮中，大中祥符年間，皇帝曾賞賜給大臣。」所說的正是上述那件事。

——取材自《墨客揮犀》

【注】蘇合香原產於古蘇合國（今伊朗），既是香料，也是藥用植物，能開竅、豁痰，主治中風、癲癇、痰壅等突然昏迷的急症。不過，雖然藥酒能保健強身，但個人體質不同，飲用前最好先諮詢中醫師，以免保健不成反傷身。

147 廣濟寺處方（屠蘇酒祕釀）

杜甫詩有「願隨金騕褭，走置錦屠蘇」之句。屠蘇乃藥酒的一種，指在元日（即元旦）喝加入香藥的清酒，據說是廣濟寺的處方：將大黃等八味中藥用囊盛好，沉入井中，至元日平明時，拿出來放進酒裡，此酒名謂「屠蘇」，據說不可多喝，但一人飲則一家無病，一家飲則一里無疫，非常靈驗。

——取材自《錦繡萬花谷》

148 藥王題壁（屠蘇酒祕方）

「屠蘇」本是古庵名，據《集詔》云：「屠蘇酒，元日飲之，可除瘟氣。」藥王孫思邈曾以「屠蘇」二字書寫在自己的庵中。據傳此酒有屠鬼氣、蘇人魂的作用，酒方爲：大黃、桔梗、白朮、肉桂各一兩八錢，烏頭六錢，菝契一兩錢，分別研成末，用布袋裝好，於十二月晦日日中懸沉井中，使藥袋碰到井底之泥，到了正月朔旦，取出藥來放進酒裡，煎數沸，然後站在屋內東方飲用；開始時先喝一點，隨後多少任意。另有祕傳說，藥方裡再加防風一兩，則效果更佳。

——取材自《七修類稿》

【注】屠蘇酒名稱的由來有數種說法，一說是藥草名，如《通雅・植物》中說：「屠蘇，闊草也。」也有認為是居住在屠蘇的人所釀造的酒，如杜詩注：「屠蘇酒蓋昔人居屠蘇釀酒，故名。」另有一說，則是和藥王孫思邈有關，相傳孫思邈製作出能「屠鬼氣，蘇人魂」的驅瘟疫藥酒，並在自己居住的地方掛「屠蘇」一匾，因此後人稱這種藥酒為屠蘇酒。

149 冷熱皆宜（胡椒酒祕方）

胡椒酒能祛寒治病強身。其製作方法爲：乾生薑一兩、胡椒七十枚，均搗成細末；選擇上等的安石榴（即石榴）五個，榨取其汁，與蓽椒末一併放入五升上等春酒內，再以火溫熱，即可飲用；趁熱喝或放涼再喝都行。此酒溫中下氣，會喝酒的，一次可飲四五升，不會喝酒的，飲二三升亦無妨，多少隨意。

除按上述比例配製胡椒酒外，也可根據自己的喜好，增多或減少蓽椒數量，倘若一次喝不完，可停數日再喝。此酒也是胡人喜好的一種酒，名「蓽撥酒」。

——取材自《博物志》

【注】華撥為胡椒科植物，與胡椒同樣具有辛辣味，既能驅寒，也可當作調味料使用。

150 豆腐酒（湖廣名酒祕識）

廣右一帶不禁酒，公家或私人都可釀造。各種酒當中，以帥司瑞露酒爲第一，風味醇香寬和、有內涵，猶如才華橫溢的美君子，令人回味無窮，在湖廣一帶頗負盛名。此酒本出賀州，但如今那裡所釀造的酒，也遠不及瑞露酒。

昭州酒頗能醉人。但據說當地造酒時，會採曼陀羅花放在酒罈上方，讓酒吸收其毒，因此飲此酒有害無益。而賓、橫之間有古辣虛山，山上出產藤藥，山水也適宜釀酒，且釀出的酒，顏色微紅，即使在烈日下放好幾天，味道顏色也不會改變，只可惜不夠醇厚。至於富裕人家，則多釀老酒，可貯十年，其色深沉紅黑，且味道不差。而各地路旁的酒店，大多都賣白酒，靜江尤盛；人們只需花十四錢，就能買到一大碗白酒，外加一碗豆腐羹，俗稱「豆腐酒」。其實靜江這個地方之所以能造鉛粉，是因酒糟豐富，可提供大量生產鉛粉的原料。

——取材自《嶺外代答》

【注】曼陀羅為一有毒植物，根、莖、葉、花、種子皆含毒素，種子與花朵毒性尤強。它的外觀很像百合花，在野外容易被誤認。有民間偏方將曼陀羅入藥，實際上這是很危險的，除非有醫師處方箋，否則不宜輕易嘗試。

151 五年才可飲（名酒祕識）

袁枚不喜歡喝酒，卻自稱能深知酒味。他表示，紹興酒如清官循吏，沒有絲毫造作，而其味方眞，又如名士英傑，長留人間，閱盡世故而其質越厚。故紹興酒未釀超過五年的，不可飲用，而摻水的紹興酒，亦不能放超過五年；這眞是深知紹興酒特色的話。

若將世上的酒分等級，紹興酒自然是第一名，而《隨園食單》首推金壇于酒，次爲德州盧酒，仍不免標榜達官貴人之故態，至於第三名的四川郫筒酒，則又未免依附古人之陋習。據說郫筒酒清洌徹底，飲之如梨汁蔗漿，不知其爲酒——如此只須盡飲梨汁蔗漿即可，何必飲酒？大凡酒以水爲本質，必須藉他物發酵，才能出酒，又必須改他物之本味，以成酒之精華。所以如果釀造米酒時，只求喝起來像飯汁粥湯那樣，不知其爲酒，這樣還有什麼意義呢？

西北口外將馬奶、葡萄置於溫暖的地方，每天用筷子攪拌，讓它發酵，幾天後味如酸漿，喝起來的感覺和酒差不多，人稱「七格」。不知袁枚所喝的郫筒酒，是否就是這樣的飲料？

——取材自《浪跡三談》

152 醉倒無賴（南方酒祕識）

新州有很多美酒。南方人釀酒不用麴和糵，而是將糯米杵成粉，用眾草葉如胡蔓（野葛）擠出的汁，與糯米粉拌和，捏成一個個大小如雞蛋的粉團，再放到蓬篙下遮蔽起來，一個月後即可出酒。此酒多飲易醉，醒後仍感頭上熱汗涔涔。

南方還有一種燒酒：將釀成的酒灌滿酒瓶，以泥封瓶口，再用火燒熟（否則不好喝）。燒好後，封口之泥堅固異常，想試喝的人無法品嚐其優劣，只好在泥封上鑽一小孔，用細管插入，吮吸幾口，俗稱「滴淋」。據說一些無賴因此利用此法，走遍所有酒家，聲稱要滴淋，然後再嚷說：「不好喝！」直到吸醉而歸。

南方還有一種習俗，即當女兒長到一定數歲，便趁冬季池水乾竭之時，將若干酒罈灌滿酒，密封其口，埋入池塘土內，到了春天，水漲塘滿，年復一年，不去挖掘。等女兒長大出嫁辦喜事時，再抽乾池水，掘土取罈，供參加婚禮的賓客飲用，稱之爲「女酒」，據說其味絕美，平常居家，難得此酒。

——取材自《投荒雜錄》

【注】中國的名酒裡有「女兒紅」，一名「花雕」，屬於紹興酒的一種，而且越陳越香。據說此二名稱的由來，有個既喜又悲的傳說：古代人家，習慣在女兒出世的時候釀酒，然後一直貯存到女兒出嫁那天，才將酒罈打開宴客，名為「女兒紅」。但如果女兒不幸夭折，並未出嫁，家長也會打開酒罈宴客，此時那罈酒不叫「女兒紅」，而是取「花凋」的諧音，改稱「花雕」。

153 味重為聖（評酒絕技）

凡酒以色清味重爲聖；色如金而味醇苦者爲賢，色墨而味酸者爲愚。用家醪糯釀醉人者爲君子；用家醪黍釀醉人者爲中人；用蒼醪黍釀醉人者爲小人。

——取材自《錦繡萬花谷》

154 夜半再飲（飲燒酒祕法）

燒酒之名，古無所考，最初見於白居易的詩句：「燒酒初開琥珀光。」可見那時燒酒是紅色的，並非今天所見的白酒。元人稱燒酒叫「汗酒」，李宗表則稱「阿剌古酒」，並作詩說：「年深始得汗酒法，以一當十味且濃。」那才眞的是今日我們所熟知的燒酒。

如今各地都有燒酒，且以高粱所釀最佳，北方的沛酒、潞酒、汾酒都是用高粱釀造，不過由於用水不同，酒勁也有差異。我（《浪跡續談》作者梁章鉅）曾聽一個外國人說：「中國有一至寶，可惜大家都不知如何服食最好，此寶即高粱酒。」並教人服食之法：每夜亥時與子時之間（晚上九點到十一點），從朦朧的睡夢中起來喝燒酒一杯，並以小菜薄肴佐酒，服畢仍去睡覺，這樣的飲法大有補益。

我個人覺得，身爲官員，整天忙碌，亥、子之間未必能就寢，且夜間溫酒做菜肴，也很不方便，更難找到可以配合無誤的家人。後來，有人教我改良過的夜飲燒酒法：做一個有點像洋煙壺的小銀瓶，瓶口加上螺紋轉蓋，睡前把暖酒灌滿，放在汗衫、肚兜的夾裡，讓它保溫，另用一小銀盒貯些薄肴，置於枕側，夜間隨起隨服，隨服隨寢，不必有勞家人而飲用自如，非常簡便。

我以此法夜服燒酒，至今已近二十年，凡遇知交，也授以此法，因而採用此法的人越來越多，特別是每遇寒宵長夜，如此飲酒，別有一番情趣。

——取材自《浪跡續談》

【注】專家表示，每天睡前飲一小杯酒，的確能幫助睡眠、保健強身，但晚上十點過後，盡量不

要再進食，讓腸胃可以充分休息。

155 黍米煮粥（快速製醋法）

快速製苦酒（醋）的方法：將一斗黍米與五斗水煮成粥，然後把一斤麴燒黃、捶破，鋪在甕底，再把粥放麴上，用泥密封甕口，兩天後便有酸味。

然而只有酸味，仍稱不上美味，這時可投進一斗粟米飯，十四天後，自製的醋便清純澄亮、美味濃釅，與一般的醋沒有什麼不同。

——取材自《齊民要術》

【注】苦酒是指帶酸味的酒，而醋正是藉酒與醋酸菌產生化學變化而來，所以在古代，苦酒即指「醋」。一般醋的製作法，是讓醋酸菌在酒中發酵，形成醋酸與水，所以製作醋時，瓶口或甕口需打開，讓空氣中的氧氣進入，使喜歡氧的醋酸菌發生作用。

156 甕上抹泥（製水醋祕法）

水苦酒（醋）的作法：女麴、粗米各二斗，以一石清水浸泡一晚，然後將汁液倒到另外的容器裡備用。接著，將米和麴煮成飯，煮熟後，趁熱放入甕裡，再把原先浸米和麴的汁，順著甕邊倒入，直到汁液整個浸到麴飯爲止；注意千萬不要讓麴飯向上浮起。最後，在甕的邊上塗抹黃泥，中間並開個口，用板子蓋住。在夏季，十三天後就能變成醋了。

——取材自《齊民要術》

157 烏梅粉末（烏梅醋製法）

烏梅苦酒（醋）的作法：將一升左右去核的烏梅肉，放在五升醋裡浸泡幾天後，曬乾搗成粉末，要用的時候，把粉末放入水中，就成醋了。

——取材自《齊民要術》

158 甘冷良藥（飲用水之優劣）

雨是天賜甘露，因此下雨時應多置器皿於大庭中，所得雨水甘滑不可名狀，無論泡茶或煮藥，皆味美而有益身體健康，常年飲用這種水，可以長生。此外，凡是甘冷的井水、泉水，都是良藥。不過有道士說，如果常年食用「井花水」（清晨初汲的井水），就像服用有毒的硫黃、鐘乳石水一樣，會發疽。有趣的是，取井水儲存七日，水中便會出現雲母狀的物質，道士稱它爲「水中金」，據說可煉丹。

——取材自《東坡志林》

159 以水洗水（獲得良水秘技）

傳說揚子江之中冷水爲天下第一水，而唐高宗曾用銀製的水斗品嚐天下之水。判別水質的優劣，是以水的輕重來區分，因此玉泉水爲第一，而中冷水次之，惠泉虎跑水又次之。此外，只有雪水最輕，可與玉泉水並列。然而雪水是從天而降，不是從地下湧出，所以不入品。朝臣出巡時，常用繫有鸞鈴的車載玉泉水回京供皇帝使用，但由於路途遙遠，加上舟車顛簸，水之色味難免有變，這時可以他處之泉水洗之，洗後則色味如故。

用水洗水的方法是：以有刻度的大容器裝玉泉水，然後注入一定比例的他處泉水，攪拌後，靜置一段時間，則污濁皆沉澱於下，上面的水仍清澈明淨——因他處泉水水質重，會下沉，玉泉水水質輕，故上浮。最後，把上面的水舀起另外盛裝即可。

——取材自《庸閒齋筆記》

【注】讓水質變好的一個簡便方法：在自來水裡加適量的竹炭。竹炭能除氯，並將中性的自來水變成含有弱酸性的水，不但對人體有益，味道也較好。

160 舂米加鹽（赤米變白絕技）

把旱稻和赤米舂成白米的方法：無論冬夏，先用熱水浸泡旱稻和赤米，過一頓飯的時間，再用手揉搓，水冷後就倒掉，並立刻以冷水再淘、搓，直到米變白爲止。用這樣的米煮出的飯，顏色潔白，不亞於水稻。此外，舂紅稻米時，可在臼裡放一把蒿葉、一把白鹽，如此舂出來的米，也會變得很白。

——取材自《齊民要術》

161 聲震如鼓（舂米術）

廣南民間有專供舂米用的房屋，名叫「舂堂」。屋內設一木槽，是用比較粗大的圓木鑿琢而成，兩邊約排十杵。舂米時，男女相間，立於兩邊，人人手持木杵，舂搗稻穀，敲磕槽舷，很有節奏，且槽聲若鼓，聲傳數里之外，非常好聽。即使是村婦在溪邊石上洗衣，邊洗邊捶打衣服所發出的美妙聲音，也不如槽聲響亮動聽。

——取材自《嶺表錄異》

162 梅花包子（宋代小吃大觀）

舊時，開封有很多令人驚嘆的工藝奇技，即使是美味佳肴、風味小吃，也名揚四方，婦孺皆知。例如王樓梅花包子、曹婆婆肉餅、薛家羊飯、梅家鵝鴨、曹家從食（副食，指點心）、徐家瓠羮、鄭家油餅、王家乳酪、段家爊食（指熬、燉的肉類）、石逢巴子肉（肉乾）之類，皆名噪一時。南遷（指宋室南遷，首都設在臨安）後，魚羹宋五嫂、羊肉李七兒、奶房王家、血肚羹宋小巴之類，皆為同行中數一數二的名家，其中宋五嫂原是我（《楓窗小牘》作者袁褧）家的老僕，所以每當路過她的店，我都會進去拜訪，算是「他相遇故知」吧！據說皇帝經常吃她做的魚羹，因此人們都爭相品嚐，沒多久，她竟成了富婆。

——取材自《楓窗小牘》

163 乳糖圓子（民間糕點絕製）

南宋時期，每逢元宵燈節，婦女皆戴珠翠，而衣服則時興白色，因為白色很適宜在月光下穿著。一些遊手好閒之輩，則用白紙製作巨大的蟬，稱「夜蛾」。有的人用棗肉混和炭屑做成丸子，繫在鐵絲一頭點燃，名叫「火楊梅」；應景的食品包括乳糖圓子（此為當時的「元宵」）、科頭粉、豉湯、水晶膾、韭餅以及南北珍果、皂兒糕、宜利少、澄沙糰子、滴酥鮑螺、酪麵、玉消膏、琥珀餳、生熟灌藕、諸色花纏、蜜煎、蜜果、糖瓜蔞、煎七寶薑豉、十般糖之類，這些食品都陳列在鏤裝花盆架車上，周圍插著飛蛾、紅燈，一面推車，一面唱歌叫賣。

——取材自《武林舊事》

【注】「武林」是南宋都城臨安的別稱，《武林舊事》為周密在南宋滅亡後，回憶都城臨安的宮廷生活、節令壽慶、市井街景、風俗習慣等的著作。

164 屋瓦漏泥（製白糖術）

明朝嘉靖之前，世上還沒有白糖，福建人所熬的都是黑糖。嘉靖中期，有一個製糖坊，偶然間屋瓦縫隙的泥土落在製糖的漏斗裡，致使糖缸上面的糖色白如霜雪，其味甘美異乎平常。至於那缸糖的中間，的則爲黃糖，下面的則爲黑糖。

製糖人感到很奇怪，便取泥壓在糖上，結果經過多次試驗，都是如此，於是白糖問世。

——取材自《廣陽雜記》

【注】甘蔗汁或甜菜汁經過蒸餾去除水分後，所得的糖含有雜質，顏色為紅褐色，一般稱「紅糖」或「黑糖」。若要精製成白糖，需經骨炭（活性炭）脫色，去除雜質，並讓顏色轉白。此外，冰糖是濃糖水在溫熱的地方，慢慢蒸乾水分，凝固而形成的固體；方糖則是將白糖磨成粉末後，再壓製成方塊狀。

165 蔗餳石蜜（製糖祕法）

糖霜之名，在唐朝以前還沒出現。

剛開始，甘蔗只做成蔗漿，宋玉〈招魂〉裡所說的「臑鱉炮羔，有柘漿些」，其中「柘漿」就是蔗漿。後來，蔗漿逐漸被做成蔗餳，如孫亮使黃門就中藏吏，取交州獻甘蔗餳。再後又做成石蜜。《南中八郡志》云：「榨甘蔗汁，曝成飴，謂之石蜜。」《本草》亦云：「煉糖和乳爲石蜜。」

到了唐代，赤土國用甘蔗做酒，雜以紫瓜根。唐太宗遣使到摩揭陀國學熬蔗法，然後詔揚州等地將甘蔗榨汁，如法炮製，其色味比西域來的更好，成品就像今天所見的砂糖。利用甘蔗製糖的技術盡用至此，仍不見有人說製糖霜法，可見糖霜並非古代所有。歷世詩人儘管模奇寫異，也無一章一句提到糖霜。只有蘇軾在贈遂寧僧人圓寶的詩裡說：「涪江與中冷，共此一味水。冰盤薦琥珀，何似糖霜美。」此外，黃庭堅也有詩提到糖霜：「遠寄蔗霜知有味，勝於崔子水晶鹽。正宗掃地從誰說，我舌猶能及鼻尖。」則遂寧糖霜見於文字者，實始此二人。

甘蔗的種植逐漸普遍後，僅福唐、四明、番禺、廣漢、遂寧等地有糖冰，其中以遂寧爲冠，其他四郡所產甚少，且顆粒碎散，色淺味薄，僅及遂寧所產的最下等糖霜，而且也是從近世才開始生產。唐代宗大曆時期，一位姓鄒的和尚來到小溪的傘山，教授當地一位黃姓村民造霜法。傘山在縣城北二十里，山前後種植甘蔗的田佔十分之四，製糖霜的農戶佔十分之三，其甘蔗有四種，即杜蔗、西蔗、芳蔗（一名蜡蔗、荻蔗）、紅蔗（一名紫蔗、崑崙蔗）。紅蔗只能生嚼，芳蔗可製砂糖，西蔗可作糖霜，但色淺，當地人不甚重視，杜蔗綠嫩薄皮，味極醇厚，專用作霜。

凡是種甘蔗的田地，地力消耗極大，所以倘若今年種甘蔗，明年就應改種五穀，以休養生息。製糖霜的人家所用的器物有：蔗削、蔗鐮、蔗凳、蔗碾、榨斗、榨床、漆甕等，都有一定的尺度，製作也很講究。製出的糖霜，一甕中也有各種不同的品色，堆疊如假山者為上品，團枝（在甕中所插竹枝上結晶者）次之，甕鑑（靠甕壁結晶者）又次之，小顆塊再次之，沙腳為最下品。其色紫為上，深琥珀次之，淺黃又次之，淺白為下。

宋徽宗宣和初期，王黼創應奉司，除遂寧常進貢糖霜外，每年還要從別處進貢數千斤。那時所產的糖霜十分珍貴。應奉司罷官後，乃不再見。後來時局混亂，兵馬騷擾，糖霜戶半數破敗，久而未復。遂寧王灼作《糖霜譜》七篇，有關糖霜記載得很詳細。

——取材自《容齋詩話》

166 一層菜一層土（蔬菜保鮮術）

貯藏新鮮蔬菜的方法：每年九月到十月中，在牆南邊太陽可以曬到的地方，挖一個深四、五尺左右的坑，然後將各類蔬菜，一種一種地鋪在坑裡，一層菜一層土，直鋪到距坑口一尺左右，最後蓋上厚厚的穰即可。這樣貯藏的蔬菜，能歷經一個冬天，想吃時，隨時取用，菜新鮮得如同夏天在園裡摘取的一樣。

——取材自《齊民要術》

167 味如肥肉（製素火腿古法）

越中地區有一種土產叫筍脯，俗名素火腿，吃起來有肉味，豐腴而味美，在京師很難買到。我（《香祖筆記》作者王士禎）偶爾看到《安老懷幼方》中有記載，製做芭蕉脯、蓮子脯、牛蒡脯的方法，與製做筍脯的方法有些相同：蕉根有兩種，其中一種比較黏的叫糯蕉，可以吃，將其切成巴掌大的片狀，用灰汁煮熟，然後除去汁液，再加入清水煮沸，再換水煮，直到沒有灰味爲止；取出壓乾，加入鹽醬、蕪荑、乾薑、熟油、胡椒等研成厚糊狀，待一二天後取出，用火焙乾，略微捶打，讓它變軟，即成芭蕉脯，吃起來很類似肥肉的味道。

蓮子脯的作法：取嫩蓮房（蓮蓬），去蒂去皮，加入新汲之井水和灰，煮成略濕的厚糊狀，再同製蕉脯法，焙乾後用石塊將其壓扁，切成片狀貯藏食用。

牛蒡脯的作法：十月以後，取牛蒡根，洗淨去皮，用慢火稍煮，不能太爛（但硬的部分則應熟煮），然後將其捶軟，加入與製蕉脯時相同的佐料，做成濕糊狀，再焙乾，切片即可。

——取材自《香祖筆記》

168 妙在出奇（水果保鮮術）

貯藏松子的方法：將少量的防風與松子包在一起，保證久藏不冒油。如果是已經冒油變壞了的松子，就把它們攤在草紙上，用火焙一焙，可使它們恢復新鮮的味道。

貯藏桃子的方法：用粗布袋裝桃子，掛在風口處，就不容易變質。

貯藏棗子的方法：用粟草將棗子一個一個隔開收藏，就不會被蟲蛀。

貯藏蓮藕的方法：把肥白的嫩藕放入濕土或爛泥中收藏，時間再長，蓮藕也和新鮮的一樣。如果想把蓮藕運至千里外販售，則可在蓮藕表面抹上一層泥，同樣可保不壞。

貯藏橘的方法：用薄刀片在橘子柄的地方輕輕畫一圈，果味就會經久不變。

貯藏橙的方法：將綠豆雜入橙中收藏，可以長時間不壞；用松毛包起來收藏，則可歷時三四個月都不乾水。

貯藏柑子的方法：以盆子盛裝柑子，上面再用乾燥的潮沙鋪蓋，可久不變質。

貯藏枇杷、楊梅的方法：取一個小瓶子，裡頭灌入臘水，並放少量明礬與一把薄荷，然後將它塞進枇杷或楊梅堆裡，可使水果經久不變味、變色。

貯藏梨的方法：初夏時節，先把梨摘下，然後掘一條深陰溝（注意溝底不可潮濕）。將梨放入溝中，不用覆蓋便可保存到夏季結束。另有一法：摘果時注意不要損傷果皮，然後用蘿蔔隔開每一顆梨子，不讓它們互相碰觸；如此收藏，可歷年不爛。另外，梨蒂削尖插入蘿蔔中，梨子亦可維持不爛。

貯藏橄欖的方法：揀選完整的橄欖，放入質地較好的錫罈裡，再用紙一層一層地封牢，如此橄攬可放到次年夏至。

貯藏石榴的方法：將石榴連同枝葉一併放進新瓦甕中，然後用十幾層紙封牢，可保石榴數月不爛。

貯藏荔枝的方法：採收荔枝應在天拂曉的時分，揀選鮮紅者，含露摘下。接著，在竹林中選幾根大竹，鑿出孔洞，把荔枝放進去，然後再用竹籜裹上泥，封固所鑿的小孔。這樣，荔枝便可藉竹的生氣獲得滋潤，即使收藏至冬季，色香也會不改變。

貯藏香瓜的方法：撿選三伏天裡的香瓜，以布包好，密封在箱子內，注意不能讓它透氣，這樣香瓜藏近百日也不會腐爛。

貯藏蘋果的方法：選取上等的蘋果，曬乾表面濕氣，然後在桶底鋪上一層細沙，把蘋果放在細沙上面，再鋪一層沙，再放一層蘋果，這樣反覆多次，直到桶滿，最後蓋好蓋子，密封收藏。這樣即使收藏到第二年，蘋果的色、香、味也不會改變。

貯藏柿子的方法：選擇還未全熟的柿子，用柿葉包上幾層，再用稻草縛緊，然後放入稻草編織成的器皿裡，可歷久不變質。

貯藏青梅的方法：將大青竹剖成兩半，然後把未熟的青梅放入竹筒內，合上竹子，以黏土封住裂縫，用繩子縛牢，埋入土中。這樣即使經過幾個月的時間，青梅的色味也絕不會有任何變化。

貯藏葡萄的方法：選取剛有一點點熟的葡萄，連枝採下，再在切口處塗上一層蠟。將一些葡萄葉墊在桶或罐底，把葡萄放在上面，再舖上一層葉子，這樣反覆多次，最後把蓋子密封好。如此則葡萄可收藏數月之久（葡萄葉也可換成木糠或火灰，效果相同）。

——取材自《增補致富奇書》

169 潑水於頸（吃瓜術）

若浸在水深及膝的冷水裡，可一口氣吃下數十個瓜；水深至腰，吃得更多，水深至頸，甚至可一口氣吃百餘個。且據說所浸泡的水，都會散發出瓜的香味。

又，人若酒醉不解，浸泡湯水即可清醒，且湯水亦會散發出酒的氣味。

——取材自《博物志》

【注】此說過於神話，沒什麼科學根據。

170 高級下酒菜（烹調珍珠）

廉州近海有一座島，島上有一口大池，人稱「珠池」；每年刺史徵收貢賦時，都會親自監督採珠戶入池採珠，按期繳納。據當地耆老說，若太守是個貪官，池裡的珍珠就會遠走高飛，難以採到。

採珠戶從池裡採來的都是老蚌，剖開後即得珍珠。由於珠池位在小海島上，因此當地人懷疑它與海相通，池水深不可測。珠池所產的珍珠，多半豌豆大小，但像彈丸那樣大的，也常看到，至於直徑寸許、能照亮室內的珠子，但有其說，卻是可遇不可求。

據說當地人會將小蚌的肉取出，用竹條串起來曬乾，謂之「珠母」；容桂一帶一般都將它調味後熱炒，當作下酒菜——蚌肉中有高粱粒、小米粒大小的細珠，是珠池小蚌的特色。由此可見，珠池之蚌，無論大小，肉裡都含有珍珠。

——取材自《嶺表錄異》

【注】珍珠在最早的時候稱「真珠」，意指天然生成的珠子，非人工所造。由於它產量不多、採取不易，十分珍貴，後來才逐漸稱「珍珠」。珍珠除了被當作裝飾品加工外，還是與燕窩、人參同等級的珍貴藥材，能養顏美容、抗衰老、減少皺紋產生，並可治頭痛、失眠、暈眩、煩躁等。容桂一帶的人既然常將含有細珠的乾蚌肉當下酒菜吃，或許個個都身體健康、膚質白晰、看起來年輕貌美……

現在市面上的珍珠，天然的已很少見，多為人工養殖。由於蚌在張開其殼時，若有異物（砂粒、小蟲等）掉入，便會分泌珍珠質，將異物包裹起來，久而久之，就形成了圓潤美麗的珍珠。養珠者正是利用蚌的這個特性，在四、五月珍珠貝開始繁殖時，撈取幼貝放在人工養殖場裡，等長到一定大，再將砂粒或塑膠製的小核植入蚌肉中，或將其中一個珍珠貝的蚌肉切成小片，植入其餘蚌肉中（前者有核，爲海水珠的培養法；後者無核，爲淡水珠的培養法），讓牠們分泌珍珠質，形成珍珠。一般來說，人工培育的珍珠約兩三年後即可採收，且一個珍珠貝可產多顆珍珠。

171 冬上夏下（吃魚術）

腹腴，就是魚腹下的肥肉。冬食右腴，夏食右鰭。因爲冬氣在上，腴在腹下；夏氣在下，鰭脊在上。

——取材自《禮記．少儀》

172 不能漏氣（做魚醬術）

作魚醬的方法：用鯉魚、鱧魚（一名雷魚）最好，鯖魚也可以，若選鱒魚、鮎魚，則整條不用切。首先，刮去魚鱗，洗淨拭乾，如切肉絲和肉片一樣，把魚剖開，切成條。接著，除去魚骨，大致比例爲：一斗大魚用三升黃衣（一升整塊使用，另外兩升作成粉）、二升白鹽（如用黃鹽，會有苦味）、一升乾薑（搗成細末）、一合橘皮（切成細條）。最後把這些東西混和調勻，放入甕裡，用泥封牢，置於太陽下曬（注意千萬不能讓裡頭的空氣跑出來）。醬熟後，再沖入好酒。

製作魚醬、肉醬的最佳時間是十二月，如此歷經夏天也不會長蟲。其餘月份雖也可以作，但容易長蟲，不能放超過夏天。

——取材自《齊民要術》

173 金橙拌魚（金齏玉鱠製作法）

南人將魚燴熟後，習慣拌入縷成細絲的金橙，稱「金齏玉鱠」。隋朝時，吳郡向煬帝進獻松江魚鱠，煬帝說：「所謂『金齏玉鱠』，乃東南之佳味也。」

——取材自《錦繡萬花谷》

174 先糖後鹽（貯藏螃蟹祕術）

貯藏蟹的方法：九月時收購母蟹（母蟹臍大而圓，佔滿整個腹部；公蟹臍則狹長）。蟹拿回來後放在水中，不要有所損傷和死亡，過一晚，蟹肚會完全淨空（倘若放得太久，蟹會吐黃水，不好）。先用少量糖煮成較清的甜汁，再把活蟹放進冷卻後的甜水甕裡，過一晚，用蓼煎水，加入大量白鹽。待冷後，先裝一半在甕裡，然後取出浸在糖水裡的蟹，放入鹹蓼汁中，讓蟹馬上死去（蓼只須少量，太多反而會爛）。以泥封甕二十天，之後取出蟹來，張開蟹臍，放入細薑末，再恢復原來的樣子。接著，將蟹放進瓦甕裡，每個甕裝百隻，然後倒入之前做成的鹹蓼汁，要完全浸泡到，並封牢不使漏氣。藏蟹時非常忌諱風吹，風吹後蟹會變質，味道也會不美。

另一種藏蟹方法是：煮好鹹蓼汁後，用甕裝著，端到河邊，找到蟹就放進裡頭，甕滿了便用泥封牢，不能被風吹到。此法雖比不上前一種，但味道也很好，吃的時候，可將薑末調在蟹的肝臟內，用小杯裝薑和醋。

——取材自《齊民要術》

【注】 螃蟹性寒，所以食用時需佐以薑、醋，一方面去腥、增添風味，一方面也不會因此而受寒拉肚子。

175 味絶天下（海鮮醃製祕術）

隋代，吳郡獻海鮸乾鱠四瓶給煬帝，每瓶可容一斗；浸一斗海魚乾，可盛直徑一尺的盤子數盤。吳郡同時呈上製作乾鱠的詳細方法。煬帝對群臣說：「從前有耍幻術的，表演在大殿上釣海魚；那不過是一種幻術，何足爲奇。今之乾鱠，乃用眞海魚製作，來自數千里之外，是一時奇味。」於是虞世基拿出數盤乾鱠，以賜達官。

製作乾鱠的方法是：五六月盛熱季節，從海裡捕得鮸魚，大者長可四五尺，鱗細而紫色，無細骨，沒有腥味。捕得後，即於海船上作鱠；先去其皮骨，取其精肉，再切成小條，曬三四天，讓它變得極乾燥。接著，用未經過水的新白磁瓶盛裝，並以泥密封瓶口，不使風入。五六十天後，開瓶取出乾鱠，用布包裹，置於裝水的大甕裡，浸泡三刻（一刻爲十五分鐘）

即取出，帶布瀝乾水份。此時，乾鱠如玉石般白淨，散置盤上，與鮮魚無異。最後，將香柔葉切成細末灑上，加調味料，以筷子攪拌均勻，即可食用，其味鮮美。

又獻海蝦梃三十根，每梃長一尺，寬一寸，厚一寸許，非常精美。製作方法爲：取有子的海白蝦，每三五斗置於密竹籃裡，然後在大盆裡反覆用水淋洗，使蝦子脫離母蝦腹，盡入盆中。通常一石海蝦可得子五升。接著，用布縫製小圓袋，長二尺，直徑寸半；將蝦子從盆內濾出，裝入布袋內，並立即紮緊封口，排列在容器裡，然後根據布袋的數量，灑上適量的細鹽，封妥，白天曝曬，夜晚用平板壓好。經過十天的日曬夜壓，袋內外全部乾透。這時可將布袋拆開，色如赤琉璃、光亮而肥美蝦子梃即完成。

又獻鮸魚含肚一千條，極精好。作法爲：六七月盛熱時，取二尺來長的鮸魚，去鱗洗淨，放置兩天，待魚腹脹起，方從口中抽出肚腸，除鰓留目，然後滿腹納鹽，排列於容器裡，厚度數寸，以細鹽封好，經過一宿，再取出用水洗淨，此後日則曝曬，夜則收夾在兩塊平板之間，並以石塊壓好。如此日曬夜壓，五六日即乾，最後放進乾磁甕裡，封好口，過二十天取出即成。其皮色光亮，有如黃油，肉如乾糧，微鹹而味美，比常年進獻的石首（即黃魚）含肚還要好吃。石首含肚肉僵而不酥，不及吳郡含肚味美。此說出自大都督杜濟之口。杜濟乃會稽人，能辨味，善鹽梅，有「古之符郎、今之謝諷」之譽。

吳郡又獻松江鱸魚乾六瓶，每瓶可容一斗，作法與做鮸魚乾鱠大體相同，但作鱸魚鱠必須在八九月霜降季節。因霜後鱸魚肉白如雪，不腥。紫花碧葉，間以素鱠，色香味俱美，是東南一帶之佳味。

——取材自《大業拾遺記》

【注】謝諷為隋朝人，為當時著名的美食家，著有《食經》。

176 與芋同煮（烹蛙祕訣）

百越人愛食蛙，凡宴會必以此作爲佳肴。烹調方法是：先在鍋中放些水，水沸後，下小芋烹煮，迨湯沸如同魚眼時，再下活蛙燒至蛙一一捧芋而熟，即可食用，此名「抱芋羹」。

還有一種烹調法：先在水中放筍乾，煮沸後下蛙，熟後再上菜，此時可見蛙一個個緊抓筍乾，瞪目張口。席上有的座客邊吃邊開玩笑說：「好像賣燈芯的！」有的說：「最好是讓疥皮蛙投入沸湯燙得牠自己跳出，讓皮脫去，再來烹煮。」一老者聞言，認爲不可如此，說：「千萬別脫去牠身上的花衣裳啊！蛙皮味美絕珍，除去豈不太可惜！」滿座聽罷，無不大笑。

——取材自《太平廣記》

【注】一些美食家認為，將活生生的動物直接切割、料理，味道才夠鮮美。其實這是很殘忍的，雖然作為食材的動物，早晚都會被宰殺食用，但切莫因追求所謂的頂級美味，而以虐殺方式烹調牠們。

177 十豬一狗（火腿祕製術）

饋送禮品的食物單中，若有火腿，一般都習慣寫「蘭熏幾肘」。有人會笑其故意造作，卻不知這個名目自古便有。趙學敏所著《本草綱目拾遺》中，就這樣寫道：「蘭熏，俗名火腿，出金華，六屬皆有，而出東陽、浦江者最佳。有冬腿、春腿之分，前腿、後腿之別。冬腿可久留不壞，春腿交夏即變味，久則蛆腐。」為何金華火腿好吃？因為金華人多用木甑（木製筒子）撈米作飯，其米湯醲厚，專門用來餵豬。此外，養豬戶也會以豆渣、糠屑餵豬，或煮粥給豬吃，夏天則兼飼瓜皮、菜葉，所以豬肉細而體香。一些茅船漁戶養的豬更佳，故名「船腿」，比其他腿要小些，味更香美，煮食之，其香滿室。

《東陽縣志》記述說：「薰蹄俗名火腿，但其實它是用煙薰，非火也。所醃之鹽，必台鹽；所薰之煙，必松煙。還有一種名為『風蹄』的，不用鹽漬，又稱『淡腿』，浦江很多。」陳達夫《藥鑑》寫道：「浦江淡腿，小於鹽腿，味頗淡，可用來佐茶，名『茶腿』，陳年者止血痢，開胃如神。」

相傳數十條火腿中，必有一條狗腿，因初醃腿時，若沒雜入狗腿，則無法醃成。所以賣腿者很珍惜狗腿，不肯輕易出售，因其味尤美。此說不知有何根據，因為在各類志書中都無相關記載，且無論古人今人，在吟詠詩詞時，也從未提到過。

178 過齒不忘（茶腿祕識）

火腿以金華最佳，但孫春陽茶腿卻勝過金華火腿。所謂茶腿，特點在於不需要烹調，切片即可佐茗，其香美可口，令人難忘。此外，孫春陽所製的各色蜜餞，也無不佳絕。如瓜子一項，沒有一粒是不平正的，粒粒都經過精選，然後祕製。因此，孫春陽的大名遠近廣傳，無人不曉。唯其售價不二價，店裡的夥計也不能違契從事其他生計，可見店規之嚴、物品之精。

——取材自《浪跡三談》

179 羊腹藏鵝（烹鵝祕方）

皇帝的廚師叫御廚。凡給皇帝享用的一切食品、食器，均由少府監督檢查。先用九個牙盤將九種食品陳列盤內，放在皇帝面前，這叫做看食。據京都人說，宮中無論皇帝進食還是設宴待客，多食雞鵝之類的家禽，其中鵝仔最受歡迎，每隻值二三千錢。製作方法是：先根據參加宴會的人數決定鵝的數量，然後將鵝毛和內臟除去，肚裡裝進肉與糯米飯，五味調和。在這之前，先宰一隻羊，除毛、去腸胃，然後將鵝放進羊肚內縫合，再把羊放到火上

——取材自《水窗春囈》

烤，待羊肉熟後，將鵝從羊肚中取出，混而食之，叫做「渾羊歿忽」。據說味美無比。

——取材自《盧氏雜說》

180 蠟燭一支（烹熊掌祕法）

熊掌味美，我（《浪跡續談》作者梁章鉅）在甘肅時，曾一次購得十副，兩副寄福建家中，而家人不知如何烹燒，過了夏天被蟲蛀盡，無法食用，甚是可惜。記得《茶餘客話》中有一段記載製熊掌的方法：熊掌先用石灰沸湯剝盡皮毛，洗淨後，用布纏緊捆好煮熟，或者用酒糟更好。我曾見陳春暉的舊日住宅牆外，有磚砌的煙筒，高四、五尺，上口僅能容納一碗，不知何用。陳春暉解釋說是當時烹熊掌的地方，即將熊掌入碗封固，置於口上，其下點蠟燭一支，以微火薰一晝夜，如此湯汁不耗，而掌已軟化。

——取材自《浪跡續談》

【注】中醫師表示，熊掌所含的營養成分與海參類似。而現今注重生態保育，不應再濫捕濫殺熊以取其掌烹食，用海參代替即可。

181 蟹毛殺人（飲食禁忌）

菰的兩鼻兩蒂有毒，會毒死人；簷水滴菜有毒；黃花和赤芥也能毒死人。

牛踐踏過的苗，結的穗子會苦；砧板垢能腐蝕人的鞋底。
鱉目白，腹下有五字，一日丹字、十字，據說十字者不可食。
蟹腹下有毛者，吃了會讓人中毒身亡。
野獸的尾巴分岔、鹿斑如豹紋、羊心有洞的，吃了皆會害人生病。
馬夜眼五日以後食之殺人，犬懸蹄之肉有毒。
白馬的鞍下肉傷人五臟。
鳥死亡而目不閉、鴨眼睛發白的，都會毒死人。
井水沸，不可飲。
酒漿無影者不可飲。

——取材自《酉陽雜俎》

【注】以上禁忌並無科學根據，不可盡信。

182 食穀不行（飲食禁忌）

人若多吃燕麥，會使骨質疏鬆而易折斷。
人若吃了燕子肉，千萬不可入水，否則將被蛟龍所吞。
馬若食穀，則四蹄沉重而不能行。

雁若食小米，則雙翅沉重而不能飛。

鼠若食巴豆三年，則體重可達三十斤。

——取材自《博物志》

【注】營養專家表示，燕麥含有豐富的維生素與礦物質，除能降低膽固醇、促進腸胃蠕動外，其所含的錳，亦可間接預防骨質疏鬆，因此古人說吃多了燕麥會讓骨質疏鬆，這個觀念是不正確的。

第四章 休閒嗜好

183 礬水描畫（牡丹變色絕技）

大千世界，無奇不有，然而能使牡丹隨心所欲地改變顏色，卻令人嘆爲觀止：用紫草汁浸潤白牡丹，則牡丹開紫花；月紅花汁浸潤，則牡丹開紅花。

若白牡丹剛開時，用一枝新毛筆醮白礬水在花瓣上隨心所欲地描畫，等水乾後，再用藤黃和粉調出淡黃色描到花上，所描的地方就變成黃色，然後再加一次清礬水，花上的顏色就不會脫落。

牡丹出芽時，用藍鼎水灌溉它的根部，等開花時，花就變成了蔚藍色。

在牡丹根下放一些白朮末，就會開出五顏六色的牡丹來，令人大飽眼福。

——取材自《花鏡》

184 埋入硫磺（巨無霸牡丹栽培法）

在農曆九月裡，找一些角屑硫磺，研成粉末拌入細土中，然後剔去牡丹根處的蓋，並在離根三寸遠的地方，挖一個一寸深的小坑，埋入硫磺末，等春天到來時，地脈變暖，牡丹花就會出現粟粒大小的花蕾，這時應把周圍的花蕾摘掉，只留下正中一個，讓藥氣聚合到那裡，則所開出的花，將特別肥大，甚至可大到花徑如碗口，非常地雍容華貴。

【注】此法與果農種水果時使用的「疏果法」頗為類似，即摘除一些果實、花朵，讓養分集中，以提高水果的品質。

——取材自《花鏡》

185 滴入胭脂水（白菊變紫祕術）

當白菊花剛出現花蕊時，就用龍眼殼罩住花蕊，並在殼上方開一小孔，每天早上用靛清水或胭脂水滴花心，等到花綻放時，就會開出藍紫色的花朵來。

——取材自《古今祕苑》

186 母雞孵種（蓮花速開祕術）

若想讓蓮花頃刻開放，可用當年採的蓮子七枚，放入已掏空的雞蛋殼內，用紙封好小孔，然後讓孵蛋雞孵二十一日後取出，再用冷濃茶洗淨，收藏在陰涼處。待用時，將蓮子埋到摻有硫磺末的污泥中，十分鐘後，蓮花便會開放，但花朵要比一般蓮花小。

——取材自《物類相感志》

【注】此法頗令人存疑。

187 盆埋木炭（蘭花四季盛開祕術）

在三伏天裡，取一些土塊曬乾，收好，等種植蘭花時，先在花盆底下放幾塊木炭，次用金銀花十錢、防風十五錢，鋪灑在木炭上，再鋪收藏好的乾土塊。如此花盆裡種出的蘭花，會在一年四季都開芬芳的花朵。

——取材自《古今祕苑》

188 剪枝入井（牽牛花日夜盛開術）

牽牛花通常在乾燥的早晨才開放，若想讓它移入花瓶隨時開放，可以在傍晚時分，將明早要開的花，連同基葉一起剪下，然後倒掛在水井中，不讓它開放，這樣經過兩三天後，若想牽牛花開，則隨時可從水井中取出，插到花瓶裡。此時牽牛花不但會馬上開放，而且鮮艷嬌嫩。

——取材自《群芳譜》

【注】牽牛花總在早晨盛開的習性，讓它在日本有另一個美麗的名字：「朝顏」。

189 鐵屑護根（鐵樹開花祕法）

鐵樹生於海底石上，樹幹類似珊瑚，其旁有蚌守之，所以在海底取鐵樹的同時，往往可兼得珍珠。實際上，鐵樹與珊瑚同類，都生於海底，然而珊瑚大者五六尺，小者不過尺許，可用鐵網撈取。珊瑚在水中是軟的，見風則硬，起初呈白色，爾後漸黃，見陽光後，則變爲殷紅如丹砂。據王濟表示，他在橫州當官時，曾在一指揮家中的園圃裡，親眼見過鐵樹，並歷歷詳述其六十年開一次花的情景。

我（《嶺海見聞》作者錢以塏）在羊城學使署，也見過鐵樹，高度並和一般樹差不多，屬木本，並非玉石之屬，只要以鐵屑培護其根，則生長茂盛；與其他樹木用水澆灌之差異，就在於此。這與前面所說的有所不同，難道是名同實異的兩種樹嗎？

——取材自《嶺海見聞》

【注】鐵樹別名蘇鐵、鳳尾蕉、避火樹，為四季常青的植物，喜歡高溫多濕的環境。由於生長緩慢，須經十年以上才會開花，因此常令人驚奇。至於珊瑚，則為一種刺絲胞動物，一般常見的珊瑚礁、珊瑚樹，其實是由許多珊瑚蟲聚合形成的，由於牠們會分泌碳酸鈣，結合成堅硬的群體，且隨環境變化而形狀不一，在古代一度被認為是植物。

190 鮮豔如初（種花秘訣）

蘭，春不出，夏不日，秋不乾，冬不濕。此花最喜歡魚腥水，澆灌不可過於頻繁，頻則根爛。水在根下一過而已。螞蟻最喜歡吃蘭花的根鬚，可用油骨引去，或將閩中產的阿㽛

（又名鶯帆）魚尾插於土中，也可去蟻。土底不可太緊，緊則根無法舒展透氣，且不易過水。

牡丹，最喜肥，種時根下宜用豬羊腸胃鋪墊。根宜暖。牡丹又名「鼠姑」，所以根下若常埋死老鼠，則開出來的花朵特別嬌豔碩大。

梅花，花開後必生葉。葉乃另生之枝，因此須將開過花的舊枝剪去，待新枝長至六七寸時，再將尖掐去，如此至冬方能有花，且夏天落葉。如果任其生長，則夏天不落葉，或焦枯而死。花總生於葉之根，夏天一葉即冬天一花。夏五六月曝日，宜早晨不宜中晚，切忌。

碧桃，盆中碧桃，開花後將其殘枝剪去，留新芽，清明時移栽土地，霜降前入盆，遲數日再入室。新條也須掐尖方能有花。

荷花，種藕是不會開花的。須選擇細如手指且又較長的花根，植之方可有花。種下的是花根，不用河水、河泥也能照舊開花。市肆間賣的，都是藕，不是生花之物，只能當蔬菜使用。

——取材自《竹葉亭雜記》

191 曝曬一天（盆栽復活祕術）

無論是何種樹，只要拔出來後，把根上的泥除盡，將樹木放到陽光下曝曬一天，然後把樹木根部放到污泥中，過一夜後取出，另外再用泥栽好，則枯樹必能復活，如果是在六七月這樣做，效果更好。

——取材自《物類相感志》

192 中心最不平（彈棋絕技）

《西京雜記》記載：「漢元帝喜歡蹋球，結果因此而使身體勞累，於是便尋找與蹋球相類似而又不勞累的遊戲，從而改玩彈棋。」根據我（《夢溪筆談》作者沈括）的考察，彈棋絕不是與蹋球類似的遊戲，倒頗似「擊鞠」，懷疑是當初傳寫錯誤。唐代薛嵩喜好蹋球，劉鋼勸他說：「讓人歡樂的遊戲很多，你何必冒著危險尋求片刻之歡呢？」此處也爲「擊鞠」，但《唐書》誤敘爲「蹴鞠」。

今天已很少有人玩彈棋了，有一卷相關的棋譜，大概是唐代人所作，裡頭記載彈棋的棋盤約二尺見方，中心隆起如倒扣的盂盆，最高處爲一小壺，四角微微隆起；如今大名府開元寺佛殿上有一張石棋盤，爲唐代所製造。李商隱有詩說：「玉作彈棋局，中心最不平。」說的是彈棋盤中心高。白居易也有詩道：「彈棋局上事，最妙是長斜。」「長斜」是說從角上斜著彈過去，一發過半局。今天的棋譜中仍有這種玩法。柳宗元談棋時說用二十四棋，指的便是這種遊戲。《漢書．注》記載：「兩人對局，白黑子各六枚。」與柳宗元所說稍有差異；如下棋，古局用十七道，合二百八十九道，黑白棋各一百五十，也與後來的下法不同。

——取材自《夢溪筆談》

193 虞卿鬥馬（團體棋賽戰術）

四個人分兩方下圍棋時，有一種方法可以讓我方必勝：讓我方棋藝較差的人下在敵人能手之前，並要他只管急攻，且只攻擊對方非救不可的地方，以牽制敵方棋藝較強者，讓他無力顧全大局。接著，讓我方棋藝較強者去戰對方棋藝較差者，取得最後的勝利。這是虞卿鬥馬的方法。

——取材自《夢溪筆談》

【注】孫臏在田忌門下作客時，見田忌每回和齊威王賽馬都失利，於是教他致勝的方法：在一場三回合的賽馬比賽裡，先用下駟（能力最差的馬）與對方上駟（能力最好的馬）比賽，輸了之後，再用上駟與對方的中駟（能力中等的馬）比賽，取得一勝，最後再用中駟與對方的下駟比賽，獲得二勝，如此便能以二勝一敗的總成績贏過對方。

194 火色為貴（燒棋子術）

滇南廣製圍棋之子，以永昌爲第一，原因是水土有別。永昌燒製棋子的方法堪稱一絕：以黑鉛七十斤、紫英石三十斤、硝石二十斤爲一料，可製棋子三十副，而工本費已有三十六、七兩之多。棋子出爐後，顏色以白如蛋清、黑如鴉青者爲上；若是燒出鵝黃、鴨綠之色，或中外透明的棋子，就是白送給人也沒人要。燒棋者以郡庠生（公立學校的學生）李德章爲第一，世傳火色，絕技從不授人。

——取材自《南中雜說》

195 四善之木（選琴材祕訣）

琴雖然都是用桐木做成，但桐木必須存放多年，直到木中水分完全揮發之後，做成的琴，聲音才激揚優美。我（《夢溪筆談》作者沈括）曾見過一張唐初製成的路氏琴，木質都已枯朽，幾乎承受不起手指的按撫，可它的音質卻非常清脆。我還有幸看到越人陶道眞保存的一張越琴，相傳是用古墓中破舊的杉木棺材做成，琴聲非常剛勁挺拔。

吳地一個叫智和的和尚有一張琴，琴色微碧如玉，琴軸是用有紋理的寶石做，其製作工藝和音色都達到十分完美的境界；琴腹上還有唐代著名書法家李陽冰題寫的篆字：「南溟島上得一木，名伽陀羅，紋如銀屑，其堅如石，命工製成此琴。」字跡蒼勁古樸。做琴的材料，一般說來應具備輕、鬆、脆、滑四個特點，這叫「四善」。但木質堅硬如石，還可以做琴，這我就不明白了。《投荒錄》說：「海南島瓊管一帶多烏樠、呿陀樹，都是十分珍稀的木材。」我懷疑「伽陀羅」就是呿陀樹。

——取材自《夢溪筆談》

196 逆鼓順鼓（琵與琶區別法）

漢中王絮，聽康崑崙演奏琵琶時，說：「琵聲多，琶聲少，是不能彈五十四根絲大弦的原因。樂家以從下向上逆鼓曰琵，自上向下順鼓曰琶。」

——取材自《錦繡萬花谷》

【注】康崑崙為唐代著名的琵琶獨奏家。

197 蟹行鸞鳴（彈琴祕訣）

彈琴之技，祕訣不可不知，其訣爲：凡彈琴輪指，稱「蟹行」，側轉指，稱「鸞鳴」。若是全用指甲，則聲乾而多思，全用指肉，則重濁而不勻。

——取材自《琴書訣》

198 狸毛狼毫（珍筆大觀）

名家製筆所用之毛，各不相同：鍾繇、張芝（東漢書法家）、王羲之製筆都用老鼠鬍鬚，歐陽修用狸毛做芯，蕭子雲（南北朝時期的書法家）用胎毛做柱，張華（西晉文學家）用鹿毛，陶弘景（南北朝時期的醫學家）用羊鬚。

唐人鄭虔說，用麝毛做的筆，一枝可寫四百張紙，狸毛筆可寫八百張紙。豐狐、蠁蛉、龍筋、虎僕和猩猩毛、狼毫筆，雖然是奇品，但在醇正得宜方面，不及中山兔毫。若淇源用鴨毛、雀雉毛，只是取其五顏六色，好看而已。當今浙江吳興之兔毫筆，佳者值百錢，而羊毫筆僅二十分之一，貧士多用之，然而柔軟無鋒，書寫流暢。臧懋循想用貂鼠毛輔以兔毫，說鍾、王所用的鼠鬚，肯定就是用貂鼠毛做的；此筆稍肥，舉落運用，不如人意。

——取材自《文海披沙》

199 胎髮人鬚（毛筆材料大觀）

世俗都說開始製筆的是蒙恬，其實並非如此。《尚書中候》說：「神龜負圖，周公援筆寫之。」《援神契》也說：「孔子作孝經，簪縹筆。」可見，周、孔時期已經有筆了。成公綏在〈棄故筆賦〉中寫道：「有倉頡之奇生，列四目而並明。乃發慮於書契，採秋毫之顛芒，加膠漆之綢繆，結三束而五重，建犀角之元管，屬象齒於纖鋒。」可見筆的製造，到倉頡時期，技術已經很完備了。

《淮南子．本經訓》寫道：「倉頡作書，鬼夜哭。」高誘在其後注說：「『鬼』或許是『兔』的訛字，兔恐取其毫作筆，害及其軀，故夜哭。」製筆通常用兔毫或羊毫、雞毛、鼠鬚、狼毫、貂毫。此外，《中華古今注》說有用鹿毛的，《朝野僉載》和《樹萱錄》說有用鼺毛、狸毛的，黃庭堅〈筆說〉中提到有用狨毛、獺毛的，白居易詩中提到有用鵝毛的，王安石詩中說有用猩猩毛的，《博物志》記載有用雉毛的，王佐〈文房論〉說有用豬毛的，齊已詩中寫到有用胎髮的，《嶺南異物志》記載有用人鬚的。

《笠澤叢書》有〈哀茹筆工詩〉，《林逋集》有〈美葛生所作茹筆〉詩。這裡的「茹筆」，指的是製筆，因爲筆工終日以口含毫。現今製筆者尚守此法，但以口舔之使圓，不過茹筆之說法，已很少有人知道了。

——取材自《浪跡叢談》

【注】傳統習俗裡，男嬰出生二十四天，女嬰出生三十天後，要替胎毛。而用剃下的胎毛製成的毛筆，即稱胎毛筆。一般多作為紀念用，很少拿來書寫。

200 寧小毋大（製筆祕術）

製筆法：三國韋誕所著的《筆方》中說：「先用鐵梳梳理兔毛和羊青毛，去掉其穢雜毛，使它不彎曲雜亂。」之後，將它們分開，用梳背拍打讓其整齊，毫尖和頭上都必須做到排扁極均勻、平正、好用。衣用羊青毛，將羊青毛縮拉到離兔毫頭下二分的地方，然後合扁，再捲動至極圓。捲好後，盡力將其紮緊。

將整理好的羊毛放在中央，或用衣中心——此謂「筆柱」，有的將其稱作「墨池」或

「承墨」。再用毫青團在羊青毛外，和作柱的方法一樣，使中心整齊，也使其均勻平整。最後用力捆紮，放進管中，寧可毛長而讓筆加深。寧小毋大是製筆的關鍵。

——取材自《齊民要術》

201 枯木為管（蒙恬製筆法）

番禺諸郡，多以青羊毛爲筆，或用山雉毛、豐狐毫、鼠鬚、鹿毛、狸毛。董仲舒答牛亨之問時，說：「蒙恬以枯木爲管，鹿毛爲柱，羊毛爲被，以成筆。」

——取材自《樹萱錄》

202 金管銀管（毛筆等級）

南朝梁元帝在還是湘東王時，使用三種等級的筆，來記錄忠臣文士的文章：忠孝兩全者用金管筆書寫；德行精粹者用銀管筆書寫；文章瑰麗者用斑竹管筆書寫。

當今民間除竹管筆外，絕少見到所謂的金管筆與銀管筆，而金銀筆管的製作方法，梁朝以後並無記載。

——取材自《樹萱錄》

203 空青水碧（古墨祕識）

孟中丞者喜愛收藏各式各樣的墨。在他所收藏的墨中，有一款爲朱紫陽款，是南宋時的古物。又說有一種墨叫羅文龍墨，如空青水碧，珊瑚木難。

——取材自《白醉璅言》

204 小兒雙睛（佳墨辨識法）

今世論墨，唯取其光亮而不取其黑，是爲棄墨——黑而不光，索然無神氣，也是無用之物，不如棄擲。要使墨錠光清而不浮，湛湛然如小兒雙睛，這才是上等佳墨。

——取材自《仇池筆記》

205 絹囊沉河（澄泥硯製作祕法）

唐朝澄泥硯出自虢州，每年進貢十硯。製澄泥硯之法：先用絹縫成囊袋置於汾水中，過一年以後取出，則極細之沙泥已充實囊中。用此細沙泥陶製成硯，研墨水不乾涸。

——取材自《骨董瑣記》

206 雌黃書卷（製紙祕術）

古人寫書，都是用黃紙，所以稱之謂黃卷。顏之推說：「讀天下書未遍，不得妄下雌黃。」雌黃與紙色相類似，所以用雌黃二字來泛指書卷，表示寫書用的黃紙與普通用的黃紙有所區別，避免誤解。今人已用白紙寫書，而有些好事者仍多用雌黃二字指書，實在是不倫不類。然道、佛二家寫書仍用黃紙。《齊民要術》裡也有記載製雌黃的方法。也許有人會問：「古人爲何要用黃紙？」其實那是有它一定道理的，因爲以蘗木汁做黃色染料來染紙，可防蟲蛀咬紙張，只因當今朝廷、官家之詔書、告示多用黃色，所以民間避不敢用。

——取材自《宋景文公筆記》

207 生紙熟紙（紙類區別）

唐人出產的紙，有生紙、熟紙之分。熟紙研妙輝光，生紙非有喪事而不用。韓愈與陳素書云：送孟郊序用生紙寫成，並非不恭，實在是言急，不能擇紙而寫。熟紙與生紙的製法，今無繼承者。

——取材自《邵氏聞見後錄》

208 蟲不能蝕（羊腦箋製作法）

羊腦箋是以宣德瓷青紙來製作的。將羊腦和頂煙墨深藏多年，然後取出來塗紙，則研光成箋，黑如漆、明如鏡。自明宣德朝開始，此箋專用於寫經，歷久不壞，蟲不能蝕。此後，仍無法料知能否繼傳。

——取材自《西清筆記》

209 皮毛裹肉（訓練鬥鳥之祕訣）

《莊子》說：「養虎的人不用整隻動物餵食，也不拿活的動物餵食。」這句話的確很有道理。

有個非常會調教山鷓鴣的人，以其所調教的山鷓鴣和別人的鳥相鬥，從沒失敗過。後來有人發現他用一種很特別的方法餵養山鷓鴣：每天以山鷓鴣皮裹肉餵食。久而久之，這隻山鷓鴣一看見其他的山鷓鴣，就會激起想與之搏鬥並吃掉對方的慾望。這就是餵養的方法改變了動物的本性。

——取材自《夢溪筆談》

210 草鳥頭塗冠（飼養鬥雞之祕訣）

如果家雞又高又大、勇猛剽悍、冠平嘴利，則是第一好鬥的雞，每次戰鬥，至死也不肯罷休。這樣的雞，每次鬥過之後，要用一根長鵝翎，插入雞嘴，絞出雞喉內的淤血，安養五、七天後再鬥，如此則無損傷之憂。即使是常勝之雞，也不能讓牠連續作戰。雞若連續搏鬥，壽命不會長。

此外，將草鳥頭搗成末塗在雞冠上，可讓雞常鬥而不敗。

——取材自《花鏡》

【注】雖然有人認為雞天生好鬥，但鬥雞時，兩隻雞往往傷痕累累，慘不忍睹，且觀鬥雞者也往往下注賭輸贏，有時甚至傾家蕩產，形成社會問題。為自身與動物福利著想，還是選擇其他休閒娛樂為妥。

211 生死之戰（鬥雞必勝絕技）

番禺（今廣州）人酷愛鬥雞，少數民族尤其喜好。番禺的雞非常勇猛好鬥，毛疏而短，頭堅而小，足直而大，身疏而長，目深而皮厚，行走時徐步盯視，剛毅而不妄動，看上去就像木雞一樣。這種雞每鬥必勝。

當地人飼養鬥雞的方法很特別：結草爲墩，使雞立其上，則足常定而不傾；把米放在比雞頭高的地方，讓雞聳膺高啄，則彈跳高，頭常豎而嘴利；割截修剪上下雞冠，使之短而小，免受敵雞啄咬；剪刷尾羽，使其臨鬥時易於盤旋；常用翎毛攪入雞喉，以除其口涎，掏米飼餵。此外，還常用水噴其兩腋，調飼一一有法，目的在讓牠能臨場死鬥。

鬥雞場上，勝負往往一見分曉，生死即可定奪。因爲鬥敗之雞大傷元氣，終身不能再鬥，只好宰殺供人食用。然而常勝之雞亦必早衰，每鬥勝一次，勢必離死亡越近。

鬥雞是一種娛樂，也是一種賭搏。觀者如堵，各有招數，大抵用金銀財寶壓注，注勝者贏，注負者輸。

鬥雞也有規則，一般分三場進行。第一場鬥的時間較短，此雞失利，雞主抱雞稍事休息，除去口涎，給以飲水，以養其氣；第二場，若彼雞失利，彼主亦抱雞稍息養氣如前；第三場，是決定兩雞勝負的最後一鬥，中途不得休息，而兩雞相鬥，非生即死，不得不拚搏撕殺到最後；開始鬥雞時，兩雞相遇，以頭相對，時高時低，伺機跳起用爪襲擊對方，倦則盤旋相啄，一啄到對方，則死咬不放，同時輔之以爪，能多次啄、咬、抓住敵雞者必勝，雞主見此，形喜於色。

其實從夏、商、周三代開始，就有鬥雞。《左傳》裡所謂「芥肩金距」，就是指鬥雞。芥肩指的是用芥籽粉抹在雞翅膀根部肩腋處，當兩雞翻身相啄時，因芥子粉能迷敵雞之眼，故能取勝。金距則是指用極薄的金屬製成爪形，鑿納於雞距上，當雞躍起奮擊敵雞時，一揮距即能刺傷其頭，甚至斷其頭。因此，金距取勝於始，芥肩取勝於終。

——取材自《嶺外代答》

212 吃罌粟種子（迷你雞飼養法）

養雞若是爲了吃其肉，大抵總希望雞長得肥壯，但若是爲了觀賞，或爲讓世上多一份驚奇，則有一絕技可使雞不再長大，終身狀如小雞：選毛色鮮艷的雌雄小雞一對，另外放養在小院中，院內不能有雜雞混入，仍照常法餵食，等雌雞長大生下蛋後，仍由其孵化。而孵出的雛雞，每天以罌粟花籽（鴉片煙子）與雄黃拌勻餵食，並且不給飲水，不讓沾地。這樣經過三年時間，雞也只和蛋一樣大，但羽毛、紅冠卻與正常的雞無異。

——取材自《古今祕苑》

213 桐油拌飯（養狗不長祕法）

養狗的人多喜歡小狗，不太希望牠長大，最好像掌中之物一樣小巧玲瓏。有一絕技可使狗不長大，小巧如橡間松鼠：將幾滴桐油拌入飯中，餵給兩三個月大的小狗吃，不到一個月，狗就終身如故，從此不再長大。反之，獵人喜歡狗長得猛威高大，也有一法：找少量虎骨搗碎，拌牛肉、芝麻與飯餵食，一年之內就能使狗長得高壯無比，且又兇猛異常，出沒山林，野獸無不懼其威勢。

——取材自《古今祕苑》

【注】狗體型的大小，應與品種有關，若欲飼養體型嬌小的狗，可選擇吉娃娃、蝴蝶犬或小獵兔犬等品種，若欲飼養大型犬，則可考慮拉不拉多犬、邊境牧羊犬、獒犬等品種。

214 與貓為友（馴狗捉鼠絕技）

自古以來，只有貓才會捕鼠，狗才會看家。想要狗和貓一樣能捕捉老鼠，是萬萬不可能的。但現在有一種辦法可使狗像貓一樣捉到鼠類：將艾葉曬乾後，燒薰小狗的鼻子，使之連連打噴嚏，然後放開牠。接連多薰幾次，狗就不會追貓，並能與貓爲友，學貓之技去捕捉老鼠了。此技祕不傳人，不妨一試。

——取材自《古今祕苑》

【注】一般認為狗與貓是世仇，但其實有許多家庭既養貓，亦養狗，且狗與貓能相安無事，甚至和樂融融，彼此視為玩伴。此外，狗除了看家以外，還有許多可協助人類的地方，在國外就有訓練狗驅趕機場飛鳥、驅趕誤闖住宅區的大熊、尋找保育類的蝙蝠等等，所以只要透過專業的訓練，讓狗抓老鼠並非難事。

215 斷其尾巴（馴狗守衛祕術）

狗最怕冷，臥時必用尾巴來掩鼻，才能熟睡。如果要牠夜晚警醒，可剪短其尾，讓其鼻寒而無所遮蔽，如此便可整夜警覺，防止別人接近家門或倉庫。這樣的狗才能成爲看家護園的好幫手。

——取材自《癸辛雜識》

【注】欲讓狗能好好看家，可加以訓練教導，無須剪斷其尾，傷害狗兒的身體。此外，遇寒流來襲或氣溫降低時，需注意貓、狗的保暖，尤其衰老生病者，以免受寒而中風，甚至凍死。

216 懶貓尾大（相貓祕術）

相貓法：純黃、純黑、純白的貓最好；肚白背黑的稱「烏雲蓋雪」，身白尾黃的叫「雪裡拖槍」，這兩種也很好。身上及四腳、尾巴有花紋的稱「纏得過」亦是好貓。身形似狐狸、面如虎、毛軟齒利、嘴角有好幾根硬鬚、尾長腰短、眼似金星、上顎多稜的貓，爲絕好品種。

貓口中有三坎者，捉鼠一季；有五坎者，捉鼠兩季；有七坎者，捉鼠三季；有九坎者，捉鼠四季。露爪的貓能翻屋上瓦，貓腰大會跑別人家，貓臉長，家中雞遭殃，貓尾大，則懶如蛇。

【注】貓的外型、毛色與品種、遺傳有關，不能以此斷定孰優孰劣。

——取材自《山堂肆考》

217 水盆落影（馴養鸚鵡絕技）

鸚鵡可飼，而飼之不當非死即傷。傳有絕技：養鸚鵡不可撫摸其背，常摸其背則易驚而啞。鸚鵡畏寒，稍稍受到寒氣，就會全身顫抖欲死，此時可餵甘蔗汁療治。如患傷風感冒不進食，其尾股處必有一圓珠似黃豆大，只要用針戳破，即癒，不需吃藥。

若想訓練鸚鵡說話，應從幼雛時開始。每日清晨，將雛鳥掛在水盆上方，讓牠看見自己的影子（用大鏡子也可以），進而誤以為倒影乃其母所在，不敢違拗。此時訓練者可立於其後或側面，萬萬不能讓牠看見人影，再按人的需要教其說話，不久即可學會人語。

——取材自《夷門廣牘》

【注】其實鸚鵡的模仿能力很強，不但會模仿話語，連聲音都維妙維肖。曾經有人家裡養狗又養鸚鵡，結果鸚鵡居然能做狗吠聲，讓人分不清哪個才是真的狗吠。

218 鐵水治病（飼養孔雀術）

飛禽之中，孔雀爲貴。此禽棲於野林之中，也可寄居村舍人家。若是在山林中獲得孔雀蛋，不必擔心孵不出來——將蛋放入雞巢，讓母雞孵化即可。待孔雀雛兒孵出後，可用青菜與豬肝切碎餵牠，逐日養大。如果孔雀有病，也不必害怕，更不用延醫求治，只須餵牠一些鐵水就可治癒其病了。

——取材自《山堂肆考》

【注】寵物若生病，應帶至動物醫院請醫師診療，不宜輕信偏方。

219 白毛換綠毛（雞變鸚鵡絕技）

鸚鵡乃山野之禽，家雞怎能變成鸚鵡之形？有不傳絕術可變：取成對的純白毛雞五六隻，放入籠中，停止供食二到三天。之後，將綠豆四、五斤，硫磺、蒲黃、薑黃、雄黃、雌黃各三兩，加水少許，入鍋煮乾（綠豆以煮熟爲宜），再取來餵雞，兼飲豆汁，但千萬不能餵淨水。如此七八日後，雞全身的羽毛就會盡數脫落。待毛落盡後，以線串其鼻，不讓其頭下垂。四五日後，原雞身上即會長出綠色羽毛。此後只須餵生綠豆粉，再用硃砂染濡嘴和腳。這樣雞就變成了渾身碧綠羽毛的碩大鸚鵡了。市井之中出售的大鸚鵡，不乏用此種祕術魚目混珠。

——取材自《夷門廣牘》

220 魚腹填硫磺（雞變鳳凰絕技）

將半斤重的黑色草魚內臟取出，填滿硫磺，再放入瓦缸內蓋好。五至七天後，取出草魚，剁碎，拿去餵預先餓了兩三天的雞。雞飽餐後，羽毛會全部脫落，幾天後另長出五顏六色的羽毛來，等羽毛逐漸長大豐滿，家雞就變成了漂亮無比的金鳳凰。

——取材自《古今祕苑》

221 薑汁塗背（育綠毛龜絕技）

夏天時捉到普通的龜後，用生薑汁塗抹在龜背上，龜背不多日便可長出綠色的毛來，等綠毛長得像人的頭髮一般長時，一頭千年綠毛龜就養成了。

——取材自《古今祕苑》

【注】綠毛龜是因龜的背甲為綠色水藻所寄生，望去猶如披著綠毛，且會逐年增長變長，因此在古代多被視為祥瑞之物，今則作為賞玩的寵物。

第五章 生活智慧

222 稻草灰擦（老匾去字祕法）

用生鹽和稻草在寫有字跡的木板、匾額上慢慢磨擦，木板上的字跡會全部脫去，不留半點痕跡，或者用稻草燒後的白色灰來擦，同樣也能將墨跡洗盡。

——取材自《多能鄙事》

223 鳥糞十粒（黑字洗淨祕法）

用蔓荊子二分，龍骨二分，麵粉、百草霜各三分，鳥糞十粒，一起研成細末，先用水將紙上要除去的黑字點濕，再將調好的藥末摻於紙上，待曬乾後，紙上的黑字跡便會消失。此外，也可用一顆半熟西瓜，在瓜蒂旁開一小孔，加入官粉（即胡粉，是古代治療癬疥的外用藥物，有毒）、硼砂各三錢五分，砒霜三錢五分，鹵砂四錢，一起研成細末，塡到瓜孔內，將瓜懸吊七天，霜便自動溢出，再用鵝毛掃下。使用時，先以清水濕潤要去除的黑字，再把藥蘸上，待乾後再用鵝毛掃去，則紙白如新。

——取材自《格古要論》

224 塗黃瓜霜（朱字洗淨祕法）

洗去朱字、印跡也有祕術，大致與洗墨字相同：用黃瓜一條，瓜蒂旁鑿出一個小孔，灌入官粉、硼砂一兩，懸掛七日後，以翎毛取下瓜霜，再於七日重掃一遍，積霜備用。用時，先將朱字、印跡打濕，再撲上瓜霜，待乾後，把霜掃盡，朱字、印跡將了無痕跡。

——取材自《斯陶說林》

225 一抹即掉（去字絕技）

想要去掉紙上的字跡，可將菖蒲根、穀子石碾成粉末，再用清水調和，抹在字跡上，等它乾後擦去，字跡就會消失不見。

——取材自《福壽眞經》

226 烏賊墨汁（消字奇招）

舊時民間有一種說法，說烏賊乃河伯度事小吏，一遇到大魚，就立刻施放烏黑的汁液，方圓可達數尺，直把自己隱蔽起來，便於逃生。江東有一種人也會用烏賊墨汁書寫契約，藉以騙取他人錢財；書寫的時候是白紙黑字，過了一年，字全部消失，唯留一張空紙而已。東海人傳說，從前秦王東遊時，把算袋丟在海裡，化成了烏賊，因此烏賊形如算袋，兩根鬚帶極長。還有人說烏賊腹中有碇（繫船的石墩），一旦遇到大風大浪，即抖動一根鬚帶下碇，以暫時固定位置。

——取材自《酉陽雜俎》

【注】實際上烏賊墨汁是不太容易去除的，例如吃烏賊義大利麵（一種以烏賊汁拌麵糊做成的黑色麵條，醬汁也是用烏賊汁調製而成）時，嘴唇、牙齒、舌頭往往都會被染黑，即使用濕紙巾努力擦拭，也不易擦拭乾淨。

227 鯽魚浸糞（去字留印絕技）

若想洗去加蓋了紅印章的字，但又不欲損壞紅印時，可用鯽魚一條，不動魚肋，從其背上開口，將硼砂塞入魚肚，再用一個刮去青皮的竹筒盛裝，外面以漆灰封固，放於大糞坑內；春天需浸五六天，夏天需浸一二天，秋天需浸七天，冬天需浸十天。之後取出，洗淨曬乾，掛於迎風處，直到有白霜冒出。將白霜用鵝毛掃下後，先把需除去的字點濕，再塗白霜於紙上，經過一夜，墨跡便無處可尋，而紅印依然不損。

——取材自《夷門廣牘》

228 皀角水調墨（碑字不脫術）

凡欲在碑石上書寫紅字或黑字時，須先將肥皀水調銀硃，或用皀角水調墨，這樣寫出的字跡，便可穩貼於石上，長久不會脫落。

——取材自《墨娥漫錄》

229 隔紙熨燙（除字畫油穢祕法）

如果字畫上沾了油穢，可用海螵蛸、滑石各二錢，龍骨一錢五分，白芷一錢，放在一起碾爲細末，然後將細末鋪在字畫油穢處，隔紙熨燙。若油穢沾染字畫已有一段很長的時間，則可先用清水浸透，再施此法，同樣能去除油穢。

——取材自《福壽眞經》

230 熟艾包墨（藏墨祕法）

熟艾包墨、梅月入炭是收藏墨的最好方法，否則墨入冬即紋裂，遇黃梅雨季則軟翹斷折。

——取材自《福壽眞經》

231 刮粉植石（補破硯絕術）

硯台若是破損，可用刀刮下硯台底部的粉末，再用黃蠟火煲勻，調好烘補在硯台的破損之處，硯台則完好如新。

——取材自《福壽眞經》

232 蓮蓬穰溫水（洗硯祕訣）

硯台若不經常清洗則滯墨可嫌，洗硯時最好用蓮蓬穰溫水輕輕擦洗。

——取材自《福壽眞經》

233 腹中貯火（硯面除冰絕招）

筆硯精良，是人生的一大樂事。然而硯中結冰，實是文士的一大災難。每當得意疾書之時，硯面結成皺冰，舐筆受阻，豈不懊喪？今有一種暖硯絕技，廣傳於商賈之中：店舖中記帳之硯，可用鐵硯，硯腹中貯火，寒冬即可去冰；宮廷內閣用的是錫硯，硯腹中可貯熱湯；也有用銅斗暖硯的。銅斗寬二寸，高也二寸許，隨身攜帶，十分方便。另有一暖硯法，祕傳於莘莘學子之間：用火酒磨墨。硯不結冰，雖然寫出的字色澤較白，不如清醬般油亮，但畢竟舔筆自如了。

——取材自《鄉言解頤》

234 黃蓮湯洗筆（養筆秘法）

毛筆用過以後，洗淨其墨，再用硫黃酒洗，以舒其毫。蘇軾以黃蓮煎湯調輕粉蘸筆頭，候其乾後再收藏。黃庭堅以川椒、黃蘗煎湯磨松煙，染筆藏之，尤佳。又，蘇軾作墨，用高麗煤、契丹膠爲之。

——取材自《文房寶飾》

235 浸硫藏椒（藏筆免蛀法）

將毛筆放在硫黃水中浸透後再收藏，則毛筆不蛀；將花椒貯存在筆套內，則毛筆也不會蛀。

——取材自《福壽眞經》

236 雪水熬糊（書畫不蛀祕技）

把臘月裡的雪水存貯起來，裱書畫的時候，以雪水熬麵糊，這種雪水麵糊裱出的一切書畫，保證永遠不會遭蟲蛀。

——取材自《福壽眞經》

237 添入黃蠟（蟲鼠不侵書畫法）

在裱字畫的時候，把生礬末、花椒末、黃蠟一起放入漿糊內，這種漿糊裱出的字畫，蟲鼠不侵。

——取材自《福壽眞經》

238 冷透再收（曬書祕法）

夏季三伏天，清晨太陽一出，就將書朝天翻開置於陽光照得到的地方，曬到午後，將書翻覆再曬，傍晚時分收起，等書完全冷透，方才疊入箱櫃。倘若書還有熱氣，就不可收藏，定要待書冷透。一切字畫及衣褲鞋帽，都可用此法，曬後再收藏。

——取材自《福壽眞經》

239 芸香飄屋（藏書避蛀祕術）

防蠹之法有許多種，有用樟腦的、有用香蒿的、有用煙葉的、有用花椒的，但總不如用芸香有效果。芸香防蠹的方法是：伏天曬書後，將書堆滿櫥櫃，並打開櫥櫃門，然後將火爐搬入室內，點燃炭火，燒炙芸香，待芸香的煙霧滿室繚繞幾個時辰後，再關好櫥櫃門，如此那些被芸香煙薰過的書，就不會生則蠹蟲。

——取材自《福壽眞經》

【注】芸香特有的氣味，可用來驅蟲，因此古人常將芸香夾在書裡，或以芸香煙薰書來防止蟲蛀。由於芸香香氣持久，所以翻閱書本時，常會聞到一陣淡雅芬芳的氣味，此即所謂的「書香」。除芸香外，薰衣草亦有相同功效，可將市面上販售的薰衣草包放在書櫥裡，不但能驅蟲，還可使書氣味芬芳，讓閱讀成為一種享受。

240 先蒸後曬（拯救泡水書祕法）

書本若被水淹，可先在大蒸器裡蒸過，再取出置於日下曝曬，待尚有一二成濕時，用重物壓於平坦之處，迨全乾後即可。此時書頁雖有漬痕，但無損壞。

——取材自《宙載》

241 埋入米堆（揭裱畫免水祕法）

若要揭開已經裝裱好的書畫，通常得用水濕透畫紙，才能取下，但此法很容易造成字畫損壞，今有一不錯方法是：將書畫埋於稍微有些潮濕的米堆中，過一夜後，若見書畫紙稍有濕潤，即可輕鬆地將已裝裱好的書畫取下，且絕無半點損壞。

242 壁堅如鐵（壁畫久存法）

宋代葛立方所著的《韻語陽秋》曾記載這麼一件事：葛立方的父親在世時，葛立方常跟他到汝州去。一日，兩人至韻興寺觀賞吳道子畫的兩壁壁畫，其中一壁畫的是維摩示寂，文殊來問，天女散花；另一壁畫的是太子遊四門，釋迦降魔成道；筆法都非常奇絕。壁是用黃沙搗泥做成，其堅如鐵。

——取材自《文房肆考》

我（《骨董瑣記》作者鄧之誠）以前對於畫壁何以能經久不壞，感到十分不解，讀了此文，方才恍然大悟。明、清以來，畫壁之風頓息，其實是因畫家不知此法。或許畫家只習慣在盈尺縑素上作畫，而不懂畫壁妙法。

——取材自《骨董瑣記》

243 巨螺燒灰（螺甲製香法）

《本草》記載：螺生雲南者大如掌，青黃色，取螺厴燒灰，合香者多用之，謂能發香。

——取材自《山谷詩注》

244 無柏不香（割麝香術）

割取麝香，非平庸之輩可爲。香麝似獐，服食柏葉後，才有麝香。稃康說：「麝食柏，故香也。」山中若無柏樹，則無麝香可割，不知其技的人，往往誤殺枯麝，無功而返。

——取材自《本草注》

【注】麝香為棲息在喜馬拉雅山一帶的公麝鹿之臍部與生殖器之間的腺囊分泌物，因有特殊香味而得名，在中醫上具鎮靜、強心、開竅的功能，同時也是一種高級香料。其實，麝香是公麝鹿的費洛蒙。所謂費洛蒙，即動物或昆蟲所分泌的一種具有某種特殊氣味的化學物質，同類可藉此相互溝通，包括求偶、警戒、社交、合作等。由於長期以來，公麝鹿屢遭獵殺，致使麝鹿數量銳減，成為瀕臨絕種的動物，因此動物保育人士呼籲，盡量不要使用麝香製品，改以其他產品替代。

245 芭蕉葉浸洗（清潔珍珠法）

擦洗珍珠時，可先把珍珠放進乳汁中浸一晚，第二天再用益母草燒灰濾汁，加入少許麵粉，然後把珍珠裝進絲絹織的袋子裡，浸入水中，用手輕輕擦洗；如此珍珠的顏色將鮮明如新。

如果珍珠染上了油質，可將鵝鴨糞曬乾燒成灰，用熱水濾汁，將珍珠放入絲絹袋內，再浸入水中搓洗。

如果珠珠顏色變焦赤，可先將無患子皮浸入水中，再把珍珠放進去，浸泡一夜，第二天珍珠就會變白。

如果珍珠赤紅的話，則可用芭蕉汁來擦洗，並浸上一夜，讓它轉白。

珍珠最忌接近麝香，違反這一點，珍珠將變得昏暗。

珍珠如果接近屍氣，會一個個爆碎。

珍珠還忌接近銀器與柏木器。

——取材自《行廚集》

【注】其實珍珠並非只有白色而已，還包括金黃、粉紅、淡橘、銀灰、黑、綠、藍等顏色。由於它的硬度不高，因此不宜將它與其他飾品放在一起，以免碰撞，最好以絹或綢布包裹收藏。

珍珠主要的成分是碳酸鈣和少量的水分，因此應避免在過於高溫、乾燥的地方置放。若要清洗，用中性肥皂水輕輕搓揉即可，洗完需以軟布擦拭乾淨，並風乾二十四小時，待其完全乾燥後，可塗抹少許橄欖油，一來保護珍珠，二來增加珍珠的光澤。

246 麵粉揉搓（去珍珠屍氣法）

用一般的草煮濃汁，把珍珠放入絲絹袋，加入少量麵粉和草汁，輕輕地用手搓揉，即可去除珍珠上的屍氣，珍珠的顏色便如新。

——取材自《行廚集》

247 神奇杏桃仁（治井水混濁法）

井水混濁，不堪入口時，只須將一把生桃仁和生杏仁搗碎後投入井中，濁水立即消散，井水又恢復原來的清澈。

——取材自《行廚集》

248 盆中映星（開井得甘泉祕技）

打井最爲重要的是選擇一合適的地點。古人說打井前，須先準備幾大盆清水安放在各處，等到空氣清新、月明星朗的夜晚，觀察水盆中所映照出的星星，只要哪一盆映出的星星最大最明亮，就選在此盆地下開井，如此必定能開出甘泉。

——取材自《福壽眞經》

【注】從事鑿井工作六十多年的老師傅表示，早期由於沒有儀器，所以要判斷何處有易鑽取的地下水層，多半憑的是經驗，即觀察附近的地勢和地層構造。此外，挖到水後，還要判斷水質是否適合飲用。在沒有試劑的時代，最簡便的方法就是煮一壺茶，然後加入新鑿的地下水，倘若茶水沒變色，就代表可以飲用，若茶水變黑，則表示不宜飲用。

249 牛骨入池（池水不涸法）

北宋徽宗崇寧時期，西都大內御花園中池水易涸，有人建議將牛骨投入池中，說此法能讓池水永不涸竭。皇家依言置之，果然池水不涸。

——取材自《邵氏聞見後錄》

250 箭袋作枕（聽聲絕技）

古代用牛皮做箭袋，要睡覺的時候，將其取下當枕頭；因爲箭袋中間空虛，若將它挨地而枕，則幾里以外人馬走動的聲音，都能聽見。此因中空的物體很容易接收到外來的聲音。

——取材自《夢溪筆談》

251 伏地聽音（遙知來者強弱絕技）

要想在黑夜中預知一里地內來者的強弱，可將身體匍匐於地，並把耳朵貼於地面，如果一里地內有人行走，其足音清晰可聞，如果其人強悍，聲音整齊而響，弱者足音亂而疏，如果是兵荒馬亂，則聲音轟然震耳。

——取材自《山居四要》

【注】當物體因震動或發音而發出聲響時，其周圍會產生聲波，並利用介質（如空氣、水）將聲音傳播出去。不過聲音的傳遞，會因介質的不同而速度不同；一般來說，液體、固體的分子排列得較緊密，所以傳遞聲音的速度比空氣來得快，因此若是趴在地上，以地（固體）為介質來聽遠方的聲音，會比站著聽要來的清楚。附帶一提的是，在真空狀態下，如月球表面或外太空，因毫無介質，所以太空人除非用對講機，否則即使面對面，也聽不見對方所說的話。

252 杉木炭入臼（防盜絕技）

將杉木塊燒炭，並研成碎末，放在門臼內，稍一開門，則聲音極響，能使盜賊聞聲驚走。

——取材自《物類相感志》

253 牡蠣殼磨粉（晝夜不眠祕術）

將牡蠣殼磨粉服下，連續服幾晚，過後即便是晝夜不睡，也不會累垮身體。

——取材自《仁安堂祕方》

【注】牡蠣殼的主要化學成分是碳酸鈣，具安神養心、清火去熱、止咳化痰的功效，可以治療胃及十二指腸潰瘍、失眠、暈眩等，但並不能藉此而幾天不睡覺，依舊神采奕奕。此外，專家表示，睡眠時間（包括午睡）是隨年齡增加而遞減的，初生嬰兒實際睡眠時間需二十至二十二小時；一歲兒童為十四至十五小時；九至十三歲兒童為十至十一小時；青年為九至十小時；成人為七至八小時；老年人為五至六小時，過多或過少，對身體都有害無益。

254 放在指甲上（指南針使用技巧）

方術之士將針放在磁石上磨過以後，針尖就能指南，然而常常會出現略偏東的現象，而非指正南。將磁針放在水上，大多會搖晃不定；將針放在指甲上或碗的邊緣上，這樣轉起來尤其靈敏，但因爲這些東西堅硬而光滑，所以很容易掉下來，不如用絲懸起來得好。其方法是：用芥籽大小的蠟，將新產的單根蠶絲黏在針腰處，然後將針掛在沒有風的地方，這樣，被磁化的針就會經常指南了。不過其中也有指北的。

255 茶油塗刃（刀劍防鏽術）

刀劍磨過之後，用山茶油塗抹一遍，再放入鞘中收藏，一個月觀察一次。如果油氣還濕潤，但刀劍的光度變暗，可擦幾遍磨刀石粉，然後除去石粉，再塗一些茶油後收藏，如此可避免刀劍再生鏽。

——取材自《夢溪筆談》

——取材自《行廚集》

256 大蘿蔔擦（舊羊皮變新術）

拿新鮮的大蘿蔔一個，去皮蘸上松香水或滑石粉，然後在舊了的羊皮衣褲上頻頻用力擦拭，羊皮的黑污就可完全除去，如同新的一樣。之後，記得將羊皮衣褲放到日光下曬半天，以免羊皮含有蘿蔔汁而受潮變黃。

——取材自《古今祕苑》

257 沸水入井（盛夏製冰法）

盛夏三伏天想得到冰的時候，可以找一個水壺裝滿井水，塞緊蓋子，放入鍋中煮沸，然後再將水壺放入水井中，沒多久，壺裡的水就會變成冰。這是個簡單又可行的辦法。

——取材自《本草綱目》

【注】夏天井水的確很清涼，因此古人夏天習慣將西瓜放進井水裡浸泡，吃時冰涼可口。然而井水並沒有能將一壺水變成冰的神奇效力。在冰箱、冷藏庫尚未發明的古代，人們若想在盛夏吃冰，通常冬天就會預作準備：在結凍的河上鑿冰塊，然後運至特別挖設的窖裡儲存，如此來年夏天，即有冰塊可用。冬天藏冰的習俗在春秋時期便已出現，歷代官府也設有機構專司其職。此外，古人還發現硝石溶水後會吸收大量的熱，使水降溫結冰，所以也有用此法在夏天製冰的。

258 以玉代炭（宮中取暖法）

唐武宗會昌時期，夫餘國進貢紅色的火玉三斗，長約半寸、上尖下圓，光照數十步，積累起來可用以燃鼎，置之於室內，則不必添炭進爐。

——取材自《錦繡萬花谷》

259 暴雨澆不滅（御燈不滅法）

漢武帝燃芳苡燈於閣上，光色發紫，引得白鳳、黑冠、黑龍馬來戲於閣。又相傳當時以丹豹髓、白鳳膏磨青錫爲屑，再用淳蘇油拌和，照於神壇，即使夜降暴雨，燈光依舊不滅，用麟鬚拂之，即有霜娥赴燈。

——取材自《錦繡萬花谷》

260 愈圓愈好（空中取火術）

將一根木頭削得很圓很圓，然後舉木對準太陽，另一手拿一小把乾燥的艾草，置圓木之後的影子中；如此可將艾草點燃。

——取材自《博物志》

261 燒紅胡桃（存火不滅術）

胡桃一顆燒得半紅，埋於熱灰之中，即使三五天後，爐火依然不滅。

——取材自《良朋彙集》

262 特製蠟燭（省油蠟燭製作法）

若按平時蠟燭燃燒速度，別說一寸蠟燭能燒一夜，就是一支長的蠟燭也燒不了一個鐘頭，現有一法可使一寸蠟燭燃燒長達一夜：將蜜蠟、松脂、槐花各一斤，浮石四兩，溶解成液體，再製成蠟燭。這種蠟燭雖然點一整晚，也只耗一寸。

——取材自《行廚集》

【注】如今市面上有一種「環保蠟燭」，即是將蠟燭液凝固在容器裡，當蠟燭點燃後，因為有容器盛裝，因此不會產生蠟淚，一方面延長了蠟燭燃燒的時間，一方面也能將蠟燭完全燒盡而不浪費。

263 雪水浸燈草（點燈無飛蛾法）

夜晚點燈時，燈蛾撲滅燈火最令人討厭。且不說傷害生靈，如家中正有要事，燈火忽然被撲滅，豈不要壞大事？一夜之中燈火被滅了再點，點亮了又被撲滅，這多麻煩？除燈蛾的辦法雖多，但靈驗的少，唯有在臘月裡用雪水將燈草浸過，曬乾收藏好；用這種燈草點燈，保證永遠不會有燈蛾撲來。燈火不會被撲滅，還救了許多小生靈，豈不積了一德。

——取材自《福壽眞經》

264 燒蟹殼粉（巧捕群鼠法）

要想將老鼠趕盡殺絕，可把螃蟹殼磨碎成粉，放到一鐵籠或繩子結成的網袋中點燃製成煙霧，周圍老鼠聞到氣味後，即會互相招呼，瞬間成群結隊而來，圍著煙香爭搶，連人來都不會覺察到。此時只要將鐵籠一關，網袋一收，便可讓老鼠全軍覆歿。

——取材自《本草綱目》

265 斷其惡念（令貓不捕雞之祕術）

家中養了雞或鴿子，最怕有貓來捉食，但也有辦法使貓不敢對雞、鴿動手：拿雞毛一搓，點燃後薰烤貓的鼻子，貓將驚叫掙扎不已，從此不敢再去捉雞。護鴿也一樣，用鴿毛一團，煙薰貓鼻，使貓從此見鴿子避而遠之，絕無捉食的惡念。

——取材自《山堂肆考》

【注】野貓為求生存，會捉食鳥類、昆蟲、小動物，家貓雖食物不虞匱乏，卻也對鳥類、昆蟲和小動物興趣濃厚，往往撲抓玩弄而不吃下肚。這是貓天生狩獵本能使然，很難去改變。

266 生薑擦耳（急取貓尿法）

北方有蟲，名蚰蜒，類似蜈蚣而細，好入人耳食人腦髓，張從正（金代著名的醫學家）在其所著的《十形三療》一書中說：「蚰蜒入耳，用貓尿灌之，立即可出。」取貓尿之法爲：用生薑擦貓耳，即可得貓尿。

——取材自《斯陶說林》

【注】蚰蜒與蜈蚣一樣，屬於唇足綱動物，外型很像蜈蚣和蟑螂的結合體，約十至十五公分大小，通常躲在建築物的陰暗處，與蜈蚣一樣具有毒性。另外，經實際操作後發現，以生薑分別擦三隻家貓的耳朵，貓咪們並無任何反應，也未立刻撒尿。

267 製炭絕技（炭木種類大觀）

選炭未必一定要選用獸炭、胡桃紋、鵓鴿色之類，因爲這些炭僅是刮去生煙之皮而已。京師的炭種十分多，如柴炭，半生，專用於引火生爐；柳木炭，容易點燃卻不經燒，也難免有煙；黑白疙瘩炭，雖少耐火，而終不如選炭結實，也難免夾生。有一種長條炭名「菊花心」，另有白疙瘩炭叫「銀炭」，所取的名目異常好聽，而要燒製出窯，卻是異常不易，非有絕技不可。問及燒炭的人，他們每每不言功夫何在，唯恐祕技流失。故此，京師好炭已是越來越少。

——取材自《鄉言解頤》

268 大缸儲水（古代消防大觀）

街頭巷尾多設水倉，這是揚州城的一大特色。相傳乾隆五十九年四月，新城多子街一帶，經常失火，且每次都延燒一日一夜。有個叫余觀德的人，性格豪爽，見此情景非常難過，因而創設水倉：在人煙稠密又距河較遠的地方，買屋基一所，前設門楹，中爲大院，置水缸百餘個，滿貯河水，並置水桶百餘個，兼設水龍（揚州俗稱水炮）一兩具。

此外，他還在附近安排瞭望火情的報火者，和行動快速的滅火者，一旦發生火災，便可拿著水桶迅速集合，操作水龍者也可立即行動。孫春洲爲此作門聯曰：「事有備以無患，門雖設而常關。」我（《浪跡叢談》作者梁章鉅）曾經過皮市街，看到廣濟水倉，門上掛著石匾，匾上字體極佳，好奇打聽後，方知是鮑崇城所書。據羅茗香說，水倉的上聯原來是「井用汲以受福」，後來才改爲「事有備以無患」，不過我再改爲「事前定則不怠」，並又另作一聯：「玉瓚何煩裨灶禳，金蓮永免祝融災。」近來各路口，水倉增設越來越多，相關章程也越來越完整，可謂良法意美。

——取材自《浪跡叢談》

269 黃金字牌（古代公文傳遞大觀）

用車馬傳遞文書的方法過去有三種，即步遞、馬遞、急腳遞。其中急腳遞最快，每天行走四百里路，通常只有發生戰爭時才使用。熙寧年間，又有一種金字牌急腳遞，和古代的羽檄類似：在一塊木牌上用紅漆塗抹，描上黃金字，望去令人眩目。持牌行走者，猶如飛電一樣，看見的人沒有不急忙讓路的。金字牌急腳遞每天可行五百里，遇到需要飛速送往軍中緊急執行的命令時，就從皇帝處發下此牌，連三省、樞密院也無權參預。

——取材自《夢溪筆談》

【注】南宋高宗皇帝召在前線作戰的岳飛回朝時，即是使用金字牌急腳遞。

270 蟹黃化漆（用漆秘術）

漆最怕蟹（據《周經本草》載：蟹黃能化漆為水，糊塗漆瘡用之）。蘇軾曾請漆工來家中漆器物，結果漆工沒洗手就抓蒸餅吃，中了漆毒，大夥趕緊餵他吞下蟹黃，漆工才慢慢甦醒。墨摻入漆中，最是上等漆，但仍必須拌入少許蟹黃，才可使用，否則其漆堅頑，刷起來會很不順暢。此乃漆工不傳之技。

——取材自《仇池筆記》

271 綠豆湯一盆（新居去漆味術）

新居落成後，有時木頭及油漆味十分刺鼻，可將綠豆煮滾，拿到有異味的器物前放好薰一會，漆氣就會逐漸減少；用綠豆汁擦拭器具，效果更佳。

——取材自《多能鄙事》

272 活動地板（地板避濕法）

造屋鋪設地板時，地板離地面要高一些，並做一塊活動地板以備開閉，時常堆些炭，就能吸收潮濕的地氣。

——取材自《福壽眞經》

【注】居家鋪木質地板時，通常都會將地板墊高，和地面保持一些距離，以免木頭受潮而變形。此外，炭含有除濕的效果，是不錯的天然防潮劑。

273 不可顚倒（乾燥建材法）

造房建屋的木材必須先堆放在通風乾燥、陽光充足的空房中，迨過一至二月後木料乾透，除去了潮濕之氣，方可使用。木料擺放時還必須注意：上樑木要根朝左稍朝右擺放，主人要留心這點，若是放倒錯了，則主人家中必會人口顚倒不吉。

——取材自《福壽眞經》

274 雞毛試毒（毒井排氣絕技）

凡是塚井之類的深洞，裡面產生的氣體，在夏秋季能致人於死。排除此氣的辦法是：先把雞毛投進塚、井裡，若雞毛直線下降，說明井中無毒氣，若回舞而下，則人不可貿然下井作業，當用醋數斗澆灑之後，方可下井。

——取材自《酉陽雜俎》

【注】通風環境不良的密閉空間，如密閉的地下室、地下涵洞、廢棄的防空洞、礦坑、枯井、大管線、儲槽等，容易缺氧或中毒，應盡量避免進入。如工作需要或非進入不可，最好先安裝抽風機讓空氣流通，並設警報器、留一人看守，進入時頭戴供氣式的呼吸防護具，隨時注意身體狀況。雞毛試毒之法未經實驗，不知是否確實可行，但從前礦工多會攜帶金絲雀進礦坑，據說金絲雀對一氧化碳十分敏感，聞到便會焦躁不安，礦工多以此判斷礦坑是否含有毒氣。

275 聞煙即死（雞毛驅蛇祕技）

袁枚在《續子不語》〈雞毛煙死蛇〉一文裡寫道：「李金什說，雞毛燒煙後，所有毒蛇聞其氣即死，蛟蜃也是一樣，無一倖免。因爲蛟蜃與蛇皆屬陰，而雞本南方積陽之象，性屬火，爲至陽，故至陰之類觸之，無不立斃，此乃《陰符經》所說的『以小制大，要訣在氣不在形』。」我（《浪跡三談》作者梁章鉅）在廣西做官時，經常聽到「雞毛殺蛇」一事，然而我認爲，若遇蛇類，只要燒雞毛將牠驅逐就足夠了，似不用趕盡殺絕。

【注】此說源自中國古代「雞能避邪驅毒」的觀念，無甚科學根據。

——取材自《浪跡三談》

276 雄黃燒煙（防毒蛇祕技）

在自家庭院中栽種香白芷，各種毒蛇聞到香味，即遠遠躲避，不再來犯。另有一法：在家門口栽種獨腳蓮草，則毒蛇毒蠍不敢經過。也可用雄黃燒煙來薰衣服、被褥之類的東西，讓毒蛇不敢靠近。

——取材自《證治準繩》

【注】蛇類專家實驗發現，蛇其實並不怕雄黃的味道，因此無法以雄黃來驅蛇。另外，農家普遍認為鵝糞可使蛇的皮膚潰爛，因此養鵝人家，蛇多不敢入侵，但經專家實驗後，發現鵝糞並不能讓蛇皮潰爛，蛇也不會懼怕鵝糞。

277 床頭忌花（防蜈蚣祕術）

以燃燒頭髮後的煙薰床下或廚房，蜈蚣聞到氣味後，就會入土三尺，不敢動彈。此外，也可將銀珠捲在紙筒裡燒煙薰物，效果更佳。女子大多愛花，時常將茉莉、香花放在床頭，卻不知這兩種花最容易吸引蜈蚣。倘若被蜈蚣咬傷，燒頭髮灰沖開水服下，可保無恙。

【注】被蜈蚣咬傷，除了紅腫熱痛外，一般並無大礙，通常不舒服的症狀在數天後即會自行消失。可在傷處予以冰敷，並請醫師開藥減輕不舒服的症狀。在台灣，並無被蜈蚣咬後中毒身亡的案例。

——取材自《奇方類編》

278 頭髮燒煙（防臭蟲奇招）

用蕎麥稈鋪床，再用蕎麥稈熬水澆淋，臭蟲即死，無一倖免。或用銀杏帶皮搗汁煮滾淋床板，也可根治臭蟲。另外，可將鰻魚頭骨一副、秦椒半斤放入火盆內，用鋸木屑燒煙，然後將門窗關緊，使煙不散，室內的臭蟲就會全部死去。也可用香枚外塗銀硃點燃，在臭蟲密集之處煙薰，則臭蟲馬上死盡。還可剪下頭髮燒煙薰之，效果亦好。用天麻子搗爛，薰有臭蟲之處，則此處永不再生臭蟲。

——取材自《行廚集》

279 化蚊為水（驅蚊祕術）

白芷、番木瓜、川芎、乾浮萍、艾葉、白鱔骨各二兩，雄黃、蒼朮各一兩，研成粗末，用米湯和勻捏成藥丸，加樟木一兩，一起燒煙，蚊子即化爲水。

280 灌桃葉湯（驅跳蝨祕法）

將黃鱔骨曬乾磨碎，混合鋸木屑後，捲入紙筒燒煙，則蝨子不敢靠近。

用桃葉煮湯澆灌，蝨子必會死盡。

端午當天，燒棗核薰之，蝨子便會絕種。

將木瓜或菖蒲放在床上，也可防蝨子。

——取材自《仁安堂經》

——取材自《仙拈集》

281 柳枝沾酒（驅蒼蠅術）

在春夏之交，採蘆葦稈煮湯，再用湯浸粗布，擦拭各種餐具，如此蒼蠅便不敢飛來。

用舊茶末燒煙，蒼蠅也會立即飛走。

將冬季第一場雪的雪花收藏到次年夏天，再取出灑在餐具上，蒼蠅也會遠遠躲避。

用柳樹枝蘸酒插在宴席附近，蒼蠅就會全部集中到柳枝上，宴席可得安寧。

——取材自《古今祕苑》

282 炭木劃界（驅螞蟻絕技）

將硃砂或銀硃燒濃煙薰之，可驅趕螞蟻；倘若把曬乾的紅辣椒夾雜在銀硃裡燒煙，效果更好，可保木器十年八年無蟻之災。人們常養竹雞治白蟻，其實此法不當，因爲此雞經常掉毛，極易產蟻。

治螞蟻的第二種方法：清明節收芥菜與巴豆共研爲末，以此擦拭廚房爐灶及餐具，則各種螞蟻自會絕跡。

第三種方法：採薺菜花鋪在爐灶和坐臥處，則螞蟻不敢進入。

第四種方法：用杉木炭劃蟻路，則螞蟻不敢越過。

第五種方法：將肥皂煎湯沾抹布擦拭桌子及各種器具，則螞蟻不敢爬上。

五種防蟻之法，皆有效果。

——取材自《七修類稿》

【注】經實驗後發現，木炭劃過的地方，螞蟻照舊穿越，毫不遲疑。此外，用肥皂水擦拭器物，也無法完全杜絕螞蟻。

283 蘆葦入箱（驅蛀蟲術）

每逢五月初五，將蒿苣放到各式箱子裡，可避免各類蛀蟲蛀蝕食物或衣物。每逢初七日，把蘆葦笆放到毯褥書箱中，可有效地防蟲。將採來的蘆葦置於一切器物中，防蟲效果特佳。樟腦燒煙薰衣箱等物，可以防避臭蟲和其他蛀蟲。

——取材自《事林廣記》

284 蝦鬚小簾（手卷防蛀術）

寶笈中的珍貴手卷，如果收藏得不妥，必會遭到蟲蛀。宮中藏有祕技，可防蟲蛀：手卷所藏的匣子內，有小簾一幅，細滑微黃，是用蝦鬚編織而成。手卷有此蝦鬚簾保護，就無蟲蛀之慮了。

——取材自《西清筆記》

285 臘雪調麵粉（漿糊不蛀法）

以食用麵粉和臘月雪調成的漿糊，不會被蠹蟲蛀咬。又，宋王文憲家用皂莢研成的末置於書中，可避蠹蟲。

——取材自《香祖筆記》

286 熱水洗地（井、甕口驅蟲祕法）

夏季讓飯甕口和井邊沒有蟲子的辦法：在清明節前兩天，夜裡雞叫時，把飯煮熟，然後用鍋裡的熱水洗井口邊和甕邊附近的地，這樣既可驅蟻，其他害蟲也不會接近，非常靈驗。

——取材自《齊民要術》

【注】此法若靈驗，或許是因為熱水消毒環境的關係。

287 五寸厚灰（毛毯防蟲術）

使毯不生蟲的辦法：夏天把毯鋪在席下，人睡席上，就不會生蟲。如果毯子太多，不是每張都有人睡，就預先收集一些燒柞、桑後的柴灰，待到五月時，把灰遍撒在毯上，約五寸厚，然後將毯捲起、捆好，放在通風、陰涼的地方擱置，如此可避免毯子長蟲。如不這樣做，所有的毯子都會生蟲。

——取材自《齊民要術》

288 灑芝麻粉（青蛙噤聲祕技）

在山野田園旁居住，本來是想求得安靜，但每到春夏季節，蛙聲如潮，終夜不息，實在令人心煩。現有一妙法，可求得安寧：採野生菊花連同梗葉一起磨成粉末，順風撒去，周圍的蛙鳴聲就會立即停止。也可將芝麻磨碎，順風撒去，蛙聲亦止。還可用牛膽塗紙，然後把紙放到青蛙所在的水中，半天後，青蛙將不敢再亂叫。

——取材自《岣嶁神書》

289 馬糞澆根（催花早開術）

若想花兒早開，可用暖房加火逼，但這樣花雖盛開，卻也受到損傷。今有一更好的方法：用紙糊一個密室，在密室中掘地成坑，再用竹條紮一個架子放在坑上。竹架上擺花，竹架下堆糞土、牛屎、馬尿、硫磺等，並澆肥水幫助發酵，讓這種氣味薰花木，又倒一些沸水進坑，以扇子慢慢搧，這樣花就能得到天然的暖氣，幾天後自然開放。

然而桂花卻相反。桂花需在秋風清涼、空氣乾爽地方才會盛開，因此想要桂花早開，就應將它放在石洞、岩穴等暑氣侵不到的地方，然後加一些涼風，用清露哺育。還有一種辦法是：用硫磺水澆灌它的根部，隔一夜，桂花自然盛開。也可用馬糞浸水澆根，三四天後，花就會全部開放。

——取材自《古今祕苑》

【注】人或動物的排泄物在發酵時，的確會產生熱能。早年鄉下養豬人家即利用豬糞產生的沼氣

燒水、做飯，甚至發電照明。上述掘坑堆糞的方法，即是利用沼氣的熱度來催花早開。不過沼氣味道難聞，且主要成分為甲烷，因此在此密閉的「溫室」工作時，恐有薰昏之虞。又，以此法開出的花朵，不知香味是否依舊？

290 蛋白塗蕊（鮮花緩開術）

如果家中有佳客來臨，主人希望花能遲開幾天等待客人，可以用蛋白塗抹花蕊，這樣花便可緩兩三天才開放。

——取材自《花鏡》

291 蜜水浸枝（插花保鮮祕法）

有道是：「凡花，滋露以生。」也就是說，一切花草之類，都必須有雨露滋潤，才能生長，即便是插在瓶中的花，也應該用大自然的雨露每日添換，花才會開得長久。如果三四天不得雨露滋潤，花朵就會凋落，花蕊就會乾枯。因此，應在每天夜裡，選擇無風有露水飄到的地方安置花瓶，這樣就能使鮮花開放時間更長。此外，摘花的方法也不可忽視。須選花木最繁茂的地方，取剛剛開放而又飄逸有致的花枝，剪下後，把剪口放到火上稍烤一下，以防止枝中的汁液下洩，如此花才會開得久。

有些花是不適合清水插養的，插養時不可不留意。例如梅花、水仙適宜用鹽水插養，特別是梅花更適合用醃豬肉的水除去油脂後插養，這樣冬天裡瓶水不會凍結，花枝中的每個細蕊也都能綻放；倘若用的是古瓶，則須以淡鹽水插養，如此梅花還能結子生葉。

海棠必須在剪折的地方以薄荷葉裹牢，再用薄荷葉水去浸養，這樣花蕊可完全開放。

梔子剪折的地方應該捶碎，然後把鹽放入瓶中乾插，不用加水，如此則梔子自然開花抽葉，花謝後瓶中的鹽還可使用。

牡丹剛剪折下來時就要用火燒一下剪口，不要用水去養而應用蜜來浸，這樣花朵自然美麗嬌豔；花謝後蜜仍可用。

芍藥剪枝一束後，用火燒剪口，就可放入瓶中。不過夜裡要把它拿出來另浸大水缸，早上再放回花瓶裡，這樣可保葉綠、花鮮。

插蓮花時，可用棉花把折口的每一個小孔堵塞起來，再用髮絲纏好；先把它放入瓶中，再灌水入瓶，夜裡移至無風有露處，如此每個花苞都會綻放美麗的花朵。

木芙蓉、竹枝及金鳳花等，則應用沸水插養。

蜀葵、秋葵、芍藥、萱花等，應把折口燒一下再插。

——取材自《群芳譜》

【注】插花時，在花瓶裡滴入少許的酒精、醋，或加入淡鹽水、淡糖水，可加強殺菌及提供花朵

所需的養分，進而延長花的壽命。

292 椰殼器皿（防中毒祕術）

用椰子殼做成的杯子等器具，一旦遇毒，則立刻產生裂縫，所以嶺南人多用以製成食器，好避蠱、防止中毒。

——取材自《香祖筆記》

【注】此說沒什麼科學根據，倒是古人常用銀簪、銀筷來檢測食物是否被下毒，因為古時常見的毒藥多為砒霜之類，其成分會使銀筷變黑。但皮蛋、豆腐乳也會讓銀筷變黑，而河豚毒因不含硫化物，即使用銀筷夾，也不會讓銀筷變黑。所以想用銀製品來檢測食物是否有毒，恐怕也不大可行。

293 淋一盆冷水（奪瘋人利刃絕技）

瘋人發狂且手持刀刃在街上揮舞，是件極危險的事；此刻他們多力大如牛，如果奪刀不慎，反被其傷。這時可脫下身上的外衣，迎向瘋人的刀刃，迅速裹住，然後用力一撥，便可出其不意將刀刃擊落。此外，也可取一盆冷水，站在瘋人背後從頭潑下，讓瘋人受驚發楞，進而趁機上前奪下刀刃。

294 馬首披衣（制狂馬奇招）

如果途中遇到了狂奔的烈馬，可迅速脫下衣服披到馬頭上，狂奔的烈馬就會立即駐足不動，這樣就可避免災禍產生了。此法簡單但又非常可行。

——取材自《岳家拳術祕書》

——取材自《花鏡》

295 金枸子燒灰（暴飲不醉絕術）

將赤小豆或綠豆的花或花粉、枝葉，放在通風處晾乾，百日之後磨碎，藏在身邊，遇到需狂飲、暴飲的場合，只要先服一錢左右的藥粉，便可保狂飲不醉，酒量更能超出平時的十倍，令滿座震驚。此外，將金枸子燒灰磨成粉末，預先服下，也可長飲不醉。

——取材自《夷門廣牘》

【注】飲酒不可過量，否則容易傷身。

296 母白狗奶（沾酒即醉絕技）

擠取白狗奶沖酒服下，即使平時能飲幾斤猛酒的酒神、酒仙，也會一杯即醉倒。此法可治那些嗜酒如命的酒鬼。

——取材自《備急千金要方》

297 **黃蠟塗竅**（游泳水不侵耳鼻法）

將黃蠟入桐油融化後凝成的膏，厚厚地塗在耳朵、鼻子的邊緣，但不要堵住耳朵、鼻子的口，要讓其通氣，這樣泅水時，水就不會侵入耳鼻孔中了。

——取材自《良朋彙集》

298 **胡椒貼肚**（雪夜不冷祕法）

揀選胡椒一撮，每顆剖成兩半，炒至焦黃，趁熱用布包住，束於肚臍上，這樣即便在風雪中勞作或行走，都不會感到半點寒意。

——取材自《奇方累編》

【注】此法與近年流行的「唐辛子樹液貼布」頗為類似。「唐辛子樹液貼布」含有辣椒成分，睡前貼在腳底，可促進新陳代謝，據說能改善冬天四肢冰冷者的睡眠品質，睡覺時不再四肢冰冷。又，將熱胡椒貼肚子，或許便是古代的「暖暖包」吧！

299 埋土半年（燒柴無煙祕技）

在三伏天裡砍伐松樹，然後將松柴埋入黃泥水內，待松皮脫落後，再取出曬乾，如此秋冬燒火時，就不會有一絲煙氣冒出。

——取材自《夷門廣牘》

300 麥子剃了頭（編草帽絕技）

古人所謂的「首戴茅蒲」、「青箬笠」，指的都是用來蔽日遮雨的帽子。其中南方人多用竹笠，北方人則用麥莛編成，稱「草帽」。每當農家麥收以後，收麥之家的親屬們便會去要麥莛，然後將其根鍘下當柴燒，至於粗皮及黃不堪用的滑稈，則用來和泥。如此經過爬梳、挑選，最後將其中最精白者，編成辮子狀，然後用絲線沿緣縫成細草帽。

草帽的形狀各式各樣，圓屋寬簷者，叫「馬連波」；高屋窄簷者，叫「香河高」，望去無半點縫隙，也沒有一點瑕疵。草帽的優點很多，尤其好在戴久而帽沿不下垂。上品一般約值斗酒十斤之價，其次遞減，但這是六十年前的價位，如今已沒有做草帽的工人了，因此也很少見到草帽。粗者一般家常用，還有人編成無屋帽圈，男女都可戴。

有人為草帽寫了一首歌謠，歌詞內容是：「麥子剃了頭，齊把莛稈投。掐成辮子編作帽，賤者賣幾百，貴者賣幾吊，粗粗剌剌不賣錢。編了草帽編帽圈，男帶草帽耕隴畔，婦戴帽圈來送飯，稚子戴了去放牛，老翁帶了上漁舟。歸來共飯黃昏後，數數帽圈夠不夠。」

——取材自《鄉言解頤》

301 酒煮蜜敖（取沉香木之術）

高竇等州產生結香，聞名天下，而採取生結香的技藝，堪稱絕活。山民在深山中尋得香木後，先彎曲枝幹，以刀亂砍，迨損枝經年，香滯留幹中，方可鋸下。運下山後，刮去白木，其香結爲斑點，稱「鷓鴣斑」。將香斑取下，取大甲香如崑崙耳者，再用酒煮蜜敖，香方成。

——取材自《山谷詩注》

302 沉浮之別（沉香製作法）

沉香、青桂香、馬蹄香、雞骨香、煎香，其實全由同一種香木製成，其木類似椿櫸，多節。取香時，先斷其木根，讓積年皮幹俱朽。木心與木節不壞的，便是香。細枝緊實者，爲青桂香；黑而沉水者，爲沉香；半沉半浮者，爲雞骨香；最次的爲箋香（箋或爲煎）。又云：沉者爲沉香，浮者爲檀香，似雞骨爲雞骨香，似馬蹄爲馬蹄香，似牛頭爲牛頭香，最粗者爲箋香。

——取材自《類證本草》

【注】一般所見的沉香，是沉香樹的木心部分，內含多量黑棕色樹脂，可溫中止吐、健胃暖脾，同時也是高級香料的一種。至於檀香，則是由檀香樹的心材製成，與沉香並非同出一樹。而市面上所見的檀香精油、檀香肥皂等產品，則是將檀香木主幹和根部所含的黃色芳香油提煉出來，再加工製成。

303 榆樹皮擣汁（假山石補碎絕技）

園林之中若假山斷裂，將難看異常，其實有辦法可修補：當假山破碎時，可把一些榆樹皮搗爛取汁，充當黏接濟，如此接合過後的破石，將異常堅固，不再破裂。此外，把獨頭蒜根搗爛來修補破石，亦可天衣無縫。

——取材自《古今秘苑》

304 淨火烘熱（補碎玉秘術）

眞松香七分，放進乾淨的瓦盆裡熬去渣滓，然後加白蠟三分、白芨三分、白礬二分調匀，倘若太乾，可滴入少量的水。接著，將欲修補的碎玉放到淨火上烘得極熱，然後把事先調好的藥品融化膠補，這樣本來碎損的玉就可堅固如初。但一定要注意，在用火烘時，以乾淨爲主，以免變色。

——取材自《行廚集》

305 蔥蒜煮玉（玉石變軟祕方）

要想使玉石變得柔軟而易於製作，可將地榆一兩、蔥汁一碗、大蒜汁一碗，同玉石一起放到火上煮一兩個鐘頭，然後取出變軟的玉石，進行雕刻。雕刻匠人若懂得這個方法，製作時就會省力許多。

【注】地榆為一藥用植物，能止血、止瀉、清熱、抗菌，但似乎沒有能讓玉石變軟的作用。

——取材自《行廚集》

306 荸薺同煮（銅玉器變軟祕法）

銅器玉器都是很堅硬的東西，如果想在上面刻寫字體或雕刻畫像，是十分困難的。但若把銅器、玉器放到水中，加荸薺同煮一段時間，則銅器、玉器自然會變軟，可隨意雕刻字畫，且過後又自然恢復它們的硬度。

——取材自《文房肆考》

307 胡蔥水共煮（卵石變軟祕方）

將溪水或澗水中的小白石取來，連同搗爛的胡蔥或地榆，放進裝了冷水的砂鍋裡煮，鍋裡的水減少時，可加一些熱水，一直煮到石頭變柔軟爲止。此時可隨心所欲地拿這些石頭製作器物，待器物製成後，再用甘草水煮一下，石頭便又堅硬如常了。人們時常感嘆別人的作品是鬼斧神工，卻不知其中的奧妙。

——取材自《本草綱目》

308 同煮虎杖草（竹子變軟術）

用竹子來編織工藝品時，經常會苦於不能讓它柔軟，現有一使竹子變軟的方法；將虎杖草與竹同煮兩個小時，之後便可隨心所欲地編織竹器，且不會斷裂。此外，用鮮黃芩葉煮竹子，效果也同樣好。

——取材自《行廚集》

【注】虎杖草因莖有節，看起來像拐杖，且有虎斑而得名，山區郊外很常見，具抗菌、止血功能，一般多用來治療跌打損傷或燙傷、燒傷。

309 山椒皮共煮（象牙變軟祕方）

象牙堅硬無比，製作極爲不易。如果想讓象牙變軟，可將象牙與山椒皮同煮，如此象牙就會變得柔軟異常，並可隨心所欲地製作各種精細的手工藝品。此外，用醋煮象牙，也會使象牙變軟。

——取材自《行廚集》

310 醋浸象牙（雕刻象牙祕技）

象牙雕刻，非刀功可以奏效。象牙性堅，但工匠卻要在上頭雕鏤山水人物，並且細如毫髮；此時稍一刀誤，即前功盡棄。今有一匠人祕傳法，讓雕牙之技，人人可學：先用牙鋸把象牙分解成欲雕的胚形，然後，用醋浸象牙一夜，象牙必軟如豆腐。既軟，即可雕鏤，走刀之輕捷，實可隨心所欲。雕成後，要使象牙還原成未軟之時的質地，其祕術爲：以木賊草煮燒雕成之牙，則牙堅如故。不知其術的人，往往驚嘆鏤牙爲神工，卻不知已被誆騙。當然，上乘之品，功夫仍在於運刀之功，刀法不熟，縱然刻蘿蔔也難以成品。

——取材自《斯陶說林》

311 只能用舊鍋（煮膠絕技）

煮膠要在二月、三月、九月、十月，其餘月份則做不成（因爲天熱，膠會不凝固，無法做成膠餅；天冷，膠會凍裂，變得沒有黏性）。

沙牛皮、水牛皮、豬皮都是作膠的上等材料；驢皮、馬皮、駱駝皮、騾皮則稍次（作出的膠，黏勁雖然都相差不遠，但驢皮和馬皮，皮薄、毛多，含的膠少，要多用幾倍的柴薪），破皮鞋、鞋底、格椎皮（一說是包在鑼鎚外面的皮，一說是綁馬的工具）、靴底、破的牲口項圈，只要是尚未腐爛的生皮，無須考慮時間長短，都可煮膠，其中新皮煮出來的膠顏色鮮明、乾淨，質地更好；放得太久的皮，固然適合，總比不上新皮品質好。至於那種脂、肋都加鹽，煮熟過的皮，則萬萬不能用，這就好比生鐵一旦經過錘煉，成爲熟鐵，便永遠不能再熔化，鑄打、鍛煉了。

煮膠只能用舊鍋，並且鍋要大、不掉色。因爲新鍋燒的時候，皮會黏在鍋底；鍋太小，會費柴火；鍋掉色，膠就會變成黑色。

——取材自《齊民要術》

312 食蠟半斤（荒年避飢法）

遇到荒年，有一種方法可使人不至於餓死：只要吃蠟半斤，就能一連十日不飢。東阿王

（指曾被封爲東阿王的曹植）曾與甘始（東漢末年著名的方士，據說活到一百多歲）同住一處，百日不食穀物而容體自若，祕訣即在於此。此法稱爲「荒年暫避穀法」。

——取材自《太平御覽》

【注】這裡的「蠟」是指蜜蠟，據《神農本草經》說：「蜜蠟味甘微溫，主治下利膿血、補中、續絕傷、金創，益氣，不飢耐老。生山谷。」但此說太過神話，不宜輕信。

313 松柏之葉（荒年避飢術）

若遇荒亂之年，缺糧無食時，可將松柏之葉切細，藉水服下（最好是用薄粥米湯送下），但只能吃到不感覺飢餓爲止。松柏的比例爲：柏葉五合、松葉三合，千萬不可過度。

——取材自《太平御覽》

314 河水冒泡（預知風暴術）

風暴來臨前，自然界會出現許多預兆，如天色昏淡；各種飛禽雁鳥在空中忽上忽下，翻飛不止；飄浮的雲朵大多鑲嵌金邊；太陽的顏色變得火紅；雲急行、月起暈，白晝也能見到太白金星升在空中；西南參星動搖不已；家中燈火明艷跳躍，啪啪作響；地上石頭脈絡紋理濕潤滑溜；樹身枝幹汁液流出；河水冒泡、腥土氣味濃厚；魚兒跳出水面、毒蛇穿行草叢、螞蟻搬家、蚯蚓過路；天上雲朵時黑時白，時而堆積相擁，時而片片走散，……這些都是大風和暴雨來臨前的預兆。大凡春夏二季暴風居多，如果遇到天氣溫熱，午後出現烏雲或者雷聲，就必有暴風。大風暴雨多數起於午後，故而渡江過河的人，應早行為好。

——取材自《福壽眞經》

【注】天氣發生異變之前，除了天色、太陽、河水、植物等會產生變化外，動物與昆蟲也會事先預知，及早搬遷躲避。動物行為專家表示，動物之所以有預知能力，有時候是與其靈敏的知覺、嗅覺與聽覺有關，如地震引發海嘯或遠方暴風雨逼近時，海嘯和暴風雨所產生的聲波，一般人較難察覺到，但動物多半能聽見；又如螞蟻在下大雨前搬家、蚯蚓在下大雨前離開，是因為下雨前的空氣較潮濕，以土為家的螞蟻、蚯蚓居處也會跟著潮濕，讓牠們覺得難以安居，於是舉家遷徙。

古代沒有能觀測氣象變化的精密儀器，於是古人便視日月星辰或動植物為「氣象預報員」，藉由它（牠）們的反常、異動，及早避難或預作防災準備，以確保生命財產的安全。

315 五更看天（行船避風術）

江湖中行船，只怕有大風。冬季的風都是漸漸變大的，可以先作準備，但盛夏的風則是須臾即來，往往讓江湖中的行船遇難。曾聽說一個在江中販運貨物的商人，有辦法避免這種天災：一般夏季的大風都起在午後，要行船的人可在五更時分起床，觀察天空，如果星月明亮皎潔、四周沒有雲氣的話，就可以行船，然後在中午時分停船。這樣便不會與風暴相遇了。國子監博士李元規說：「我平生遊歷江湖，從未遇到風暴，正是採用這個方法。」

——取材自《夢溪筆談》

第六章 工藝奇技

316 嚇到皇帝（華清池記異）

唐玄宗於清華宮大興土木，營造華清池，規模宏大，極其豪奢。一心想討好皇帝的安祿山，便在范陽徵得大量漢白玉石，然後命工匠雕琢成魚龍鳳雁、石樑、石蓮花等，獻給皇帝。這些玉石雕鐫得非常精巧，簡直難以相信是人工所爲。唐玄宗大喜，下令將石樑橫於池上、石蓮花放於水中。

工程完竣後，興沖沖的唐玄宗來到了華清池，準備泡湯。但當他將要入池時，突然發現池邊那些用漢白玉石雕出的魚龍鳳雁，個個好像在奮鱗舉翼，準備飛起來似地。唐玄宗驚恐不已，當即命令拆除魚龍鳳雁，只留石蓮花與石樑。

後來，唐玄宗又在宮中造長湯池數十間，屋宇九曲環迴，壁上修築紋石；造鏤銀漆船和檀香水船置於池中，船上楫棹均飾以珠玉；在湯池中用玉石和檀香木疊成假山，狀似小洲。華清宮所造之精，前無古人，後無來者。

——取材自《譚賓錄》

317 仙女接駕（自動化圖書館探祕）

隋煬帝下令造一座奇特巧妙、獨一無二的國家圖書館——觀文殿。觀文殿前兩廂各有十二個特製的書櫥，書櫥前設有五香木重床，均爲雕欄玉砌，裝飾著花鳥禽獸。床上春夏鋪用象牙薄條編成的席子，秋季鋪鳳綾花褥子，冬天則加上錦被和毛毯。

隋煬帝常駕臨觀文殿看書。在這十二間書堂內，南北都開有閃電窗，玲瓏相望，其雕刻之工，奇妙至極，光彩溢目。又每三間開一方門，門戶上懸掛著錦繡翠幔，門前則暗設機關。當皇帝乘車即將駕到時，則有宮人腳踏機關，讓門上兩邊的木雕仙女飛下，立於堂戶兩側，捧幔而升；接著，兩扇門自動打開，書櫥之門亦緩緩開啓。這一切都十分自然逼眞，全靠內中機關運作。皇帝若離開，則書櫥、門戶、幔帳相繼垂閉，恢復原狀，且出入每間書堂，都是一樣啓閉自如。

觀文殿書堂內所藏之書，都是古今名著，其用辭比事均條目有序，文理暢通，而且抄寫正確，文字之間，無顚倒之誤，裝訂也精緻華麗，可謂冠絕今古，乃天下曠世之名寶。自漢代以來，直到南北朝梁武帝時期，天下文人才子所有的撰著，都無法相比。値得一提的是，觀文殿所收藏的新書書名，多是隋煬帝親自取的。臣民每進獻一書，必受皇帝賞賜。

——取材自《大業拾遺記》

318 五臟俱全（針灸銅人揭祕）

章叔恭在襄州任職期間，曾得到一尊醫生試針用的銅人金像；此銅像乃精銅所製，內中腑臟，無一不具。銅人體外顯示人體穴位的小孔，一應俱全，且錯金在孔旁標出穴位名稱；至於孔內深處，則灌滿水銀，然後再在銅人表面塗一層黃蠟，蓋住所有穴位。醫師練習或學生考試時，若刺中穴位，必針入而水銀出；稍有偏差，則針受阻而不得入。

用這種銅人試針或練習，可讓醫師摸準穴位，決擇深淺，按穴投針，實是一件奇器。它後來被趙南仲得之，歸於內府收藏。

——取材自《齊東野語》

【注】「針灸銅人」最早出現於北宋，為仁宗朝的翰林醫官王惟一所設計鑄造，大小和真人一樣（現在多半已縮小比例，可置放桌上）。本文所介紹的，即是王惟一的這項發明。

319 貴在用火（各色饒瓷製作祕技）

饒瓷器的製作始於唐，成於宋元，盛於明清，其陶土取自浮梁新正都麻倉山，釉土取自新正都；長嶺作青黃釉，義坑作澆白器釉。饒瓷的顏色有以下幾種：

青色：叫石子青的產於瑞州；叫舊坡塘青的產於樂平；叫回青的就是蘇麻離青，明朝永樂時期始入貢，用錘擊碎，每斤得青三兩，上有硃砂斑者爲上品，有銀星者次之。用法是：用回青一兩，加石青五錢，配出的叫上青；四六配比的則叫中青。上青用以混水，則顏色清亮；中青用以設色，則筆路分明。

油色：是用豆青油水煉灰、黃土合成。
紫金色：是用罐水煉灰、紫金石水合成。
翠色：是用煉古銅水、硝石合成。
金黃色：是用黑鉛末一斤，碾成赫色一兩二錢合成。
金綠色：是用煉過的黑鉛末一斤、古銅末一兩四錢、石水六兩合成。
全青色：是用煉成的翠一斤、行子青一兩合成。
礬青色：是用青礬煉紅，每一兩用粉五兩，以廣膠合成。
紫色：是用黑鉛末一斤、石子青一兩、石末六兩合成。
澆青：是用釉水煉灰、石子青合成。
純白色：是用釉水煉灰合成。
描金：是用燒成白胎，上全黃，過色窯加礬紅，過爐火，貼金二道，過爐火二次，餘色不上全黃。
堆器：在各樣坯上，用鐵錐錐成龍鳳花草，加釉水，煉灰燒成。
五彩：在燒過的純白瓷器上繪彩，過爐火燒成。
饒瓷之所以品貴質優、中外聞名，不僅在於它色彩絢麗、形形色色，尤其貴在燒窯的火候上，因此是北窯瓷器所不能及的。

320 木刻模型（立體地圖製作術）

我（《夢溪筆談》作者沈括）奉命到邊地去視察時，發明了木質地勢圖，用以表示山川與道路的情況。起初，我在遍察各邊山脈、河流後，用麵糊與木屑在板子上模製出它們的形勢。沒多久，天寒地凍，木屑不能再用了，就用融化的蠟來製作，這都是爲了使現場製作的地圖模型重量輕且便於攜帶。

回到官所後，我將那些在現場做出的地圖複製成木刻的模型地圖，並呈報給皇帝。皇帝頗欣賞我的發明，特召輔臣一起觀看，不久更下令邊地各州都製造木質地圖，造好後再由內府收藏。

——取材自《夢溪筆談》

321 架船於木樑（造龍船絕技）

宋初，兩浙獻龍船，長二十餘丈。船上造宮室層樓，室內設御榻以備皇帝遊幸。然而年歲長久，船艙內外破舊損壞，需要修理，但在水中，並不能施工。熙寧年間，黃懷信建議在金明池北挖一個可以容納龍船的大漕，漕內打若干對大樁，樁上橫置大木樑。修船前，先灌水入漕，並將船划入漕內，置於木樑上方，再把漕內的水抽乾，如此則船即座於樑上空中。待修繕竣工，復用水浮船，撤去樑柱，然後在水漕上建造一大屋，用以泊船，避免日曬雨淋。

——取材自《宋稗類鈔》

322 無法射穿（無敵鐵甲製作法）

青堂羌（爲吐番的別族）人很會鍛造鐵甲。他們造出來的鐵甲呈青色，其表面光亮得幾乎可以照見人的頭髮。每片甲之間用麝皮帶串起來，望上去既柔薄又堅韌。鎮戎軍有一件這樣的鐵甲，用櫃子珍藏著，作爲寶物相傳。

韓琦在涇、原兩地帶兵時，曾將青堂羌製的鐵甲拿出來做試驗：讓人站在五十步遠的地方用強弩射它，結果全射不穿。當中曾有一支箭扎進去，大夥仔細一瞧，發現原來是箭鏃扎在穿繩的孔眼中，而箭桿刮鐵的地方，都反捲過來，可見它有多堅固。

一般鍛甲，開始很厚，不加熱而用冷鍛鍛打，當鍛到只有原厚度的三分之一時就成了。其末梢留一筷頭大小的不鍛，看起來就像瘊子，作用在了解未鍛時的厚度，就像開挖河渠時會故意留下以備測量原地面高度的地樁一樣，這種甲，稱爲「瘊子甲」。現在的人在造甲時，背面都有瘊子，但這已不是用冷鍛精製的鋼鍛製，而是用火鍛後造的，僅僅作裝飾罷了，沒什麼用處。

——取材自《夢溪筆談》

323 加鐙強弩（神臂弓記異）

北宋熙寧年間，李定進獻一台偏架弩。它的外形與弓相似，不過上面多了弩身如鐙，射時用腳把鐙踏在地下，使弩張開，據說可射三百步遠，並能穿透兩層鎧甲。人們稱此弩為「神臂弓」，是一種相當精銳的武器。

李定原是党項羌的首領，自願投降歸附宋王朝，做官直做到任職防禦、團練使才死。他的兒子們都以驍勇善戰，稱雄於西部邊疆。

——取材自《夢溪筆談》

324 三經三緯（神射手揭祕）

幾年前我（《夢溪筆談》作者沈括）在海洲時，有戶人家挖地得到了一張弩機，弩機的望山很長，旁邊有和尺一樣具分寸刻度的小標記，推測應是在用眼睛瞄準箭頭的時候，以其標定箭頭的高低。這正好用到了算術家們所謂的「勾股弦原理」。

《尚書．太甲》中記載：「射箭的時候，當箭尾的刻度相合就放箭。」這可能就是書中所說的「度」吧！後漢陳王劉寵，很擅長弩射，能十發十中，且箭箭都在靶心上。他的方法是：「天覆地載，參連爲奇，三微三小。三微爲經、三小爲緯，要在機牙。」這幾句話隱晦難懂，其大意是：「天覆地載」指發射時手持握弩弓的姿勢；「參連爲奇」意指將刻度對準箭頭，同時箭頭對準目標，參連如衡。這恰好是利用勾股弦原理來定高低；「三經三緯」，是劃在箭靶上的三根垂直線和三根水平線，其作用在標明上下左右的位置。我在射箭時，也曾在靶子上劃三經三緯，然後用箭頭瞄準射矢，結果十發裡也能中七八支，如果再在弩機上刻刻度，其準確率一定更高了。

——取材自《夢溪筆談》

【注】勾股弦原理即現代數學所稱的「畢氏定理」，在中國古代又稱「商高原理」、「勾股原理」。所謂「勾」，指的是直角三角形的短邊；「股」，指的是直角三角形的長邊；「弦」，指的是直角三角形的斜邊。由於直角三角形短邊平方加長邊平方的總和等於斜邊平方，因此可用來測量距離、高度、土地面積等，故勾股弦原理又為平面幾何學和測量學的基礎，在軍事、建築、科技方面應用廣泛。

325 墓中得寶（啄玉絕技）

金陵有一夥靠掘墓盜竊古物的人，曾挖掘六朝陵寢，得古物甚多。有人得一玉臂釵，兩頭機關一按，則可屈伸令圓，無縫處並以九龍繞之，琢磨得非常精巧，簡直是鬼斧神工。有人說，古代黎民淳樸，工作粗率，製品不精，其實大不然。古物之所以做得如此精巧，正是由於民淳之故。民淳則百工不苟。後世風俗雖侈，但匠工的技藝不及古人，故做出來的東西多不精緻。

——取材自《宋稗類鈔》

326 大蒜汁調色（瓷繪著色祕術）

名聞天下的金花定碗，以畫見工，色彩極爲艷麗，且所描之畫，無論怎樣磨蝕，永不復脫。匠工歷來密守其技，且不說同行難以得其技術，就算是子婿，也難得眞傳。然而藝界難補隙漏，祕術終被傳播，原來金花定碗是用大蒜汁調色描畫，然後再入窯燒，其色永不脫落。

——取材自《志雅堂雜鈔》

327 火之魂魄（窯變揭祕）

瓷器之中，有同是一質，遂成異質；同是一色，遂成異色的奇事，這全是水土所合，決非人工之巧所能辦到的，謂之窯變。數十窯中，燒製的瓷器有千萬種之多，而窯變之品其實可遇不可求。《博物要覽》中寫道：「官哥二窯，時有窯變，像蝴蝶、禽鳥、麟豹，本色釉外變成紅紫色，實在是因火之變化，理不可解。」也有一種說法，認爲這種奇變，是窯中火魂所爲，魂飄無定，纏惑難料，因此只可相遇而不可相求。

——取材自《稗史彙編》

328 花中抽紗（織布絕術）

《墨客揮犀》說：「閩岑以南多生長木棉，當地人競相種植，有的多達數千株，採其花做成布，號稱『吉貝布』。」我（《錦繡萬花谷》作者）後來因讀南史，知道海南諸國的傳說，得知林邑等國出產古貝木，其花成熟時如同鵝毛，人們可抽其絮絨，紡成線，織成布，與綿布沒什麼不同，也可染成五色，織成斑布。《墨客揮犀》所說的吉貝布就是這種布，因爲「古」字俗稱爲「吉」。

——取材自《錦繡萬花谷》

329 蕪蘇子一升（染布法）

取蕪蘇子一升，用水直接浸泡，可以染布一尺，稱謂蕪蘇子染色法。

——取材自《太平御覽》

330 人馬在鏡中（方丈鏡傳奇）

唐中宗下令在揚州製造方丈鏡——鑄銅做成桂樹形狀，金花銀葉，皇帝常騎馬自照，人馬都在鏡中。此鏡技藝如神工，出於揚州何匠之手，無人知曉。

——取材自《朝野僉載》

331 鏡音悠長（古鏡探祕）

我在亳州得到一面古鏡，用手在鏡面上慢慢的撫摸，當手撫至中心的時候，就發出了像烙龜甲那樣的聲音。有的人說：「這個鏡子是有夾層的。」然而夾鏡是鑄不出來的，要兩面重合才行。這面鏡子如此之薄，又找不到焊的痕跡，恐怕這塊鏡子不是焊的。就是焊的，那麼發出的聲音也應該是沉悶的，現在敲擊它，聲音卻是如此清細而悠長，既然壓了以後才能響，那麼鋼銅鑄造的就應該破了，而柔銅又不可能這麼清亮光潔。我遍訪了鑄鏡的工匠，他們都不能解釋。

——取材自《夢溪筆談》

332 凹凸人面（古鏡絕製）

古人在造鏡的時候，如果鏡面較大，就會將鏡面做平，如果鏡面較小，則會將鏡面做得稍稍凸起（凹面鏡映照出的臉會被放大，凸面鏡映照出的臉會被縮小），因爲小鏡子無法看到臉部的全貌，所以讓它稍凸，使臉部在鏡裡變小，如此一來，鏡子雖小，卻可看到整個臉形。

鑄鏡時，需根據鏡子的大小來決定鏡子凸或凹的程度，務必使照出的臉形與鏡子的大小相符——此乃古代鑄鏡工匠的技巧與智慧，現今的鑄鏡工匠多不能及。近來人們若得古鏡，多馬上將它磨平，卻不知其中之原理奧妙，難怪師曠會感慨知音難尋。

——取材自《夢溪筆談》

【注】凹面鏡與凸面鏡之所以能將映照的物體放大、縮小，是因光在遇到不同介質時，會產生不同的折射、反射變化。凹面鏡會聚光，所以呈現出影像放大的效果；凸面鏡會散光，所以呈現出影像縮小的效果。在日常生活裡，凹面鏡和凸面鏡的應用十分廣泛，如手電筒的燈頭、車前燈用的是凹面鏡，汽車的照後鏡用的是凸面鏡，商店天花板角落和公路轉彎處也會裝設凸面鏡。

333 先冷後冷（透光鏡製作祕訣）

有一種透光鏡，鏡背刻有銘文，約二十個字，寫法極爲古拙，沒有人看得懂。若把它放在太陽光下，則鏡背的花紋和所刻的二十個字，都會投射到牆壁上，且影像清晰。懂得透光鏡原理的人表示，此乃鑄鏡時，薄的地方先冷，而鏡背上有花紋處較厚，厚的地方後冷，使銅收縮要多一些；故花紋、古字雖在鏡背，鏡面卻隱約可見，一旦放到陽光下，便會投射出來。

我（《夢溪筆談》作者沈括）仔細研究透光鏡後，認爲此人的說法頗有道理。但我家的三面鏡子，和別人家所收藏的鏡子，背面都有與透光鏡相同的古字，花紋也沒絲毫差別，樣式亦很古老，可卻只有透光鏡能透光，其他鏡子雖然也有很薄的，卻都不能將文字、花紋投射出去。由此推想，古人在造這面鏡子的時候，可能還用了其他的祕技。

——取材自《夢溪筆談》

【注】上海復旦大學光學系與上海博物館的研究員依《夢溪筆談》所記載的透光鏡原理，以淬火冷縮法仿製了一面透光鏡，經在日光下實驗後發現，鏡子背面的花紋與文字果然能投射到牆壁上，且清晰可見。

其實早在清末，便有人以光線照射平靜水面時所產生的搖晃光影，來進一步解釋透光鏡的原理。清代物理學家鄭復光在《鏡鏡詅痴》裡說，平靜無波的水面所反射的光線投射到牆上時，會產生搖晃的光影，是因為水面其實有肉眼不易察覺的波紋，當長光反射時，便會將這些波紋的動作放大。同理，透光鏡背面的花紋與文字，其實在鑄鏡的過程中，已隱約呈現在鏡面上，一旦被日光等長光照射，就會放大投射到牆上，而日常拿來照臉時，卻和普通鏡子沒兩樣。

334 神奇配方（銅鏡繪影祕術）

想要在青銅鏡上顯出人像，可用竹汗（用炭火炙燒青竹，竹中冒出的水珠即是）、頭髮灰（需用洗去油脂後的頭髮來燒）、龜屎（把烏龜放在玻璃內，再用鏡子反射日光照之，龜屎就會流出來）、蛤蟆油等配置原料，然後以筆蘸之，於鏡面描畫人像。

將畫好的青銅鏡放到太陽下曬乾，並用滑石粉磨去畫像，然後以醋磨之，最後用水銀磨洗。此時銅鏡會變得異常明亮，所繪的畫像亦會留在鏡底，栩栩如生，讓人誤以爲是鏡中仙。

——取材自《遊宦紀聞》

335 灌入露水（雞蛋騰空絕技）

將雞蛋開小孔掏淨蛋黃蛋白，灌入露水，用油紙糊緊小口，在強烈的陽光下曬一陣子後，雞蛋殼自然會升起，且可離地三四尺。

——取材自《古今祕苑》

336 先蠟後醋（雕刻蛋殼秘訣）

取一些黃蠟溶化，加入綠礬末少許，用新毛筆蘸汁，隨心所欲地在蛋殼上畫山水人物花鳥魚蟲及正草隸篆等書法，過後晾乾，再將蛋殼放進酸醋裡浸一天，然後取出來。這時蛋殼儼然成爲精美的雕刻品。

——取材自《古今秘苑》

337 隨意點藥（製斑竹秘訣）

取鹵砂五錢研成極細的粉末，再將綠礬四錢、膽礬三錢、石灰五錢一起研得極細，放入濃草灰汁中調勻。接著，取一根普通的竹子並刮去青皮，隨意點上藥汁，過後即成斑點，與普通斑竹無異。若想在竹子上繪畫，這種藥汁同樣可用；若單用鹵砂、石灰與米醋調勻後畫到竹子上也行，但效果要遜色些。若在水中溶解少量綠礬，以新毛筆在竹製品上任意作字畫，然後拿到火上稍稍烤炙一下，那麼字畫將變成墨色，且永不脫落。但如果綠礬加太多，字畫會變成茶褐色。

——取材自《文房肆考》

338 浸水洗斑（製斑竹秘技）

竹有黑點，謂之斑竹；但其實並非如此。湘中的斑竹剛出土生長時，每個點都會有苔錢（苔蘚匯聚成圓如銅錢的形狀時，稱「苔錢」）固封，需砍下浸入水中，用草穰洗去苔錢，可愛的紫暈斑才會呈現。這才是眞正的斑竹。

——取材自《臨漢隱居詩話》

339 龜尿穿木（字透木絕技）

古人在設立地界、標籤或其他標記時，因擔心別人用利器削或改變木製標記的字跡，往往會用龜尿在木頭上寫字。如此則字跡可穿透木心，不易被改變。

——取材自《古今祕苑》

340 看不見的字（密寫術）

《嘯虹筆記》中記載過這麼一件事：金中都被圍困時，宰相完顏承暉以礬寫奏告急。爲防中途洩密，完顏承暉沒用墨寫而用礬寫，實在是高明。

金人發明的密寫術，製法爲：將礬、膠與鐵釘共煮，然後以新筆蘸此水寫在白紙上，乍看之下，了無痕跡，但只要將墨塗在紙背，紙面上的字便躍然而顯。曾有人在康熙三十年得到一卷詩稿，有詩四十二首，從達官貴人到山村隱逸，一時名士，大抵皆備。初以為是拓本，細審時發現筆有濃淡，暈痕顯然，這才知道是完顏承暉用礬水所書。

——取材自《寄園寄所寄》

【注】古代有各式各樣的密寫術，如羅馬帝國時期，機密內容多寫在剃光頭髮的信使腦袋上，等信使頭髮長出來後，便帶著假情報上路，以防機密內容曝光。也有筆沾橘子汁或醋，寫在白紙上，乍看了無痕跡，但當對方收到後，以火烤信，那些有機物質即會碳化變色，顯現出來。

341 小中見大（摹影術）

大字最難寫。如何將大字寫好，今有一妙法：將要寫的大字，先取一張紙寫成小字，再用一根長針穿掛起來，釘到預先貼在牆上的大紙上，垂掛好後，點一盞燈，藉燈光將小字放大投影到大紙上，字要大到多少，可隨意將寫有小字的紙在長針上移動，直到自己滿意為止。最後，用炭畫將放大的字影描下來，大字便寫成了。若想放大人物、山水畫像，亦可以借用此法。

——取材自《福壽眞經》

342 臘梅皮浸汁（墨字閃光祕術）

用臘梅樹皮浸出的汁液磨墨，再用這種墨水寫字，則不管寫到什麼樣的紙上，字都會呈現耀眼的光彩，令人嘆爲觀止。

——取材自《物類相感志》

343 最怕酒氣（畫像聞酒臉紅祕技）

硃砂一錢、焰硝三分搗碎和勻，以陳年老酒調成爛泥狀，裝入壺中蓋好，埋於向陽那面的山坡泥土中，一個月後取出。倘若酒已全乾，則再稍加此酒，並用石器拌勻。

將繪畫用的紙先用蚧殼製的胡粉襯底，再把前述藥泥塗於畫紙上，並放在太陽底下曬乾，最後才以墨繪人像。畫完，將酒杯端到畫中人物的面前，則畫會感受到酒氣，人像的兩頰也會變得赤紅，望去猶如醉了一般。而當酒氣消失時，人像的兩頰則會由紅轉白。

——取材自《行廚集》

344 鵝膽磨汁（畫物能動絕技）

老鵝膽一副，不可見水，灌入明礬末一錢，懸掛於當風處陰乾，然後以此磨汁調色作畫。完成後的作品，日則不見，夜則明顯，晴則不見，陰則明顯，更神奇的是，畫中人物還會慢慢行走，栩栩如生。

——取材自《古今祕苑》

345 螢火蟲粉（夜光畫祕製術）

螢火蟲百隻、雲母二錢研成粉末，稍加清水和之，然後取新筆作畫，再將和好的粉末塗於畫紙上，只要一個月內塗十二次，就會發現畫面有光，如星星閃爍。

——取材自《古今祕苑》

【注】螢火蟲之所以會發光，是因為牠的尾部有發光器，佈滿含磷的發光質及發光酵素，經氧化還原後，即產生冷光。而螢火蟲發光的目的，除了求偶外，也是一種與同類溝通的方式。至於將螢火蟲磨粉塗紙，是否真能讓畫面發光，則有待商榷。近年來因開發過度與環境的改變，造成螢火蟲數量銳減，因此若看見螢火蟲，觀賞即可，不宜任意捕捉。

346 狗膽加魚膽（紙船自動術）

平時折出來的紙魚、紙船放在水上時，除非風吹，否則無法移動。現有一法可使紙魚、紙船在無風的情況下往前移動：雄狗膽、魚膽各一，取其膽汁混合攪勻，塗在紙魚、紙船的底部，然後放到水盆中。不一會，紙魚、紙船就會漂動，且與眞魚、眞船極相似。

——取材自《遊宦紀聞》

347 鴨游大盤（銅鴨划水絕製）

昆陵一朱姓大戶人家收藏了一個古董大盤，盤中凹處有鴨形浮現，鑄工極爲高妙。後來，一位漁人在湖上捕魚時，打撈起一隻銅鴨；朱家聽說後，賤價買回，將銅鴨合於古董大盤中央的鴨形凹處，結果竟然絲毫不差。若向盤中注水，銅鴨便會浮起，並在盤中游動。朱家這才知道得了寶物，驚喜之餘，也對古人精湛的鑄銅技術讚嘆不已。

——取材自《香祖筆記》

348 醋浸七天（四方形鴨蛋製作祕技）

將一顆鴨蛋放入白醋裡浸泡七天，鴨蛋即軟如棉團。之後，將它擺進四方形的棉盒裡，再浸泡清水十五分鐘。取出後，蛋殼將回復未泡醋前的硬度，而蛋卻變成方磚形狀。

——取材自《古今祕苑》

【注】經實驗後發現，鴨蛋浸泡在白醋裡七天，蛋殼確實會變軟，蛋亦會變形，但要將它塑成方形，則仍有困難。若浸泡超過十天以上，鴨蛋的硬殼可以輕輕刮下，只剩一層薄膜。此

外，無論浸泡清水多久，蛋殼都不會再回復到未泡醋前的硬度。

古人異想天開欲將鴨蛋變成方形，可能是希望擺放時不易滾落破碎。此舉與日本栽種方形西瓜的原因頗類似，據說日本人也是因為覺得西瓜圓滾滾的，不好放又不好切，因此在西瓜還很小的時候，就用方形的堅硬木盒盛裝，讓西瓜在成熟的過程中，被侷限在木盒裡，形狀也跟著改變，最後與木盒一樣成為方形。不過這種「改良」過的西瓜身價百倍，一顆約九十美金，據說味道和普通西瓜差不多。目前台灣大甲也有栽培，叫「方如玉」，有興趣的讀者不妨試試。

又，日本在成功培植出方形西瓜後，欲罷不能，又栽培出金字塔型的西瓜，令人大開眼界。

349 借泥挖泥（築堤絕技）

蘇州至昆山縣相距六十里，中間都是淺水，沒有陸路，老百姓往來都要涉水，爲此感到十分煩惱。長久以來，大家都想築一道長堤，但蘇州四面是水，沒有取土的地方。

嘉祐年間，有人獻一條計策：在水中豎兩排用竹或蘆葦編成的草席，權充圍堰，中間相距三尺；離此二圍堰各六丈遠的地方，再各樹一排草席，權充圍堰。接著，把水中淤泥過濾出來，填實圍堰，圍堰乾後，再用水車抽乾相距六丈寬的兩道圍堰間的積水，讓它們露出土來。這些土留一半做堤腳，另一半開挖成渠道，並將挖出來的土疊到堤腳上面，變成堤壩。最後，每隔三、四里修一座橋，以通南北。

該堤築成後，至今仍十分便民。

——取材自《夢溪筆談》

350 巨石入洞（移重物絕技）

陝西有一年發大水，將一塊巨石從山上沖刷下來，堵住山澗，於是澗水漫溢，橫流成災。大家都想將石頭移開，但巨石足足有一間房子那麼大，單靠人力，根本無法移動，州縣官民爲此十分擔憂。

雷簡夫任該地縣令時，命人在巨石下方挖一個與巨石一樣大的洞穴，然後用力挽起石頭，將它推入洞中，終於平息了水患。

——取材自《夢溪筆談》

351 硼砂入鍋（沸油取物祕技）

要想表演在沸油中取物，可悄悄將硼砂末放進還未燒熱的油鍋內，讓微熱的硼砂產生大量氣泡，並冒出煙來。如此旁觀者將以爲鍋裡的油已沸騰，但實際上油僅微熱而已。這時只要把手放在白醋內浸一下，再伸入油鍋中，即可輕鬆取物，保證毫髮無傷。

——取材自《行廚集》

【注】專家表示，硼砂的結晶含有水，因此這種化合物不耐熱，一受熱，水就會急速蒸發，出現氣泡與煙。這種情形很像中學時做的化學實驗：將含水的藍色硫酸銅結晶加熱，結果水分蒸發，硫酸銅結晶馬上變成白色粉末。

因此，用這種方法來表演「沸油取物」，的確可以騙過在場的人。至於手沾醋，目的在做些保護措施，讓手稍微冷卻一下。

第七章 農牧漁獵

352 雪水浸種（種稻不生蟲祕法）

將臘月下的雪花放到壺中，埋藏在陰涼的地方，隔年春天用它來浸五穀播種。這種浸過臘月雪水的種子所長出的苗，以後即便遇上大旱，也不會生病、被蟲害，而且比一般種子收成更好。

——取材自《齊民要術》

353 鴨蛋拌石灰（播種催芽奇招）

取孵壞的鴨蛋一顆，混在石灰中一起磨成細粒，拿到太陽底下曬乾後存放好。要用時，將此粉鋪在盒底，上面放要播的瓜類、果類種子，這樣一來，種子入土不久，即會萌芽。此法極爲神妙。

——取材自《本草綱目》

354 桂枝最狠（滅草絕技）

《楊文公談苑》記述南唐李後主很討厭清暑閣前長的草，徐鍇便命人用桂枝的碎末散布在磚縫中，讓舊草全死光。據《呂氏春秋》說：「桂枝之下沒有別的小樹。」因爲桂枝氣味極辛辣，其他植物受不了。但桂枝滅草是它的本性，與辛辣無關。《雷公炮炙論》說：「用桂枝製作木釘，將它釘在樹中，樹立刻就死了。」釘子十分渺小，未必能刺死大樹，只因它們的屬性相剋罷了。

——取材自《夢溪筆談》

355 用火烤焦（丁香荔枝栽培法）

福建所產的荔枝中，有一種荔枝核小如丁香的，這種荔枝肉多味美。當地人栽培它時，先取一段荔枝木，剪去大根，用火將其樹皮烤焦，然後插種土中，以大石頭壓住它的根部，讓旁根得以生長。如此長大結出的荔枝，其核必小，可惜埋在土裡不會發芽，正如家禽、家畜去勢後，雖然多肉，卻喪失了生育能力。

——取材自《夢溪筆談》

【注】清人吳應逵在《嶺南荔枝譜》裡表示，有果農曾照《夢溪筆談》記載的方法栽種荔枝，結果荔枝多半無法存活，即使僥倖長大了，也不會結出核小肉多的美味荔枝來。所以丁香荔枝應與一般荔枝不同品種，並非藉由特殊的栽培法改良而來。

356 糯飯灌洞（靈芝栽培祕術）

靈芝乃稀世之寶，是仙葩異草，人食用後可延年益壽，返老還童。今有一法可栽種靈芝：冬天拿一些糯米飯搗爛，然後加入沸黃及鹿頭血調勻曬乾，冬至當天埋入土中，沒多久就會生出靈芝來。或者將上述調好的糯米飯灌入老樹腐爛的地方，等來年雷電過後，亦能生出各式各樣的靈芝。

——取材自《花鏡》

【注】靈芝是一種寄生在竹、木上的菌類，由於它會分泌「細胞壁分解酵素」來軟化木質，吸取養分，因此容易造成樹木主幹、根部的腐朽。天然靈芝多見於相思樹、橡樹等闊葉樹與松樹的殘株上，或枯木、埋入土中的朽木上，其外型、顏色不盡相同。目前市面上的靈芝多由人工築培育室栽培，據說藥效比天然的好。

357 公鹿為餌（靈芝取得祕法）

「木蘭」是清代的皇家獵場，又稱「哨」。之所以稱「哨」，是因哨鹿的關係：身懷絕技的哨鹿者，身穿鹿皮、頭戴鹿角帽子，於半夜時分躲藏在山中吹哨，發出公鹿的叫聲，引誘母鹿。母鹿聽到後，會口銜靈芝草（即靈芝）來哺公鹿——鹿性最淫，一頭公鹿往往能與百頭母鹿交配，以至脫力而死。因此常有這種情景：見到公鹿將死，母鹿就銜靈芝草讓公鹿食而復生。那些哨鹿者，正是以公鹿哨聲誘騙母鹿口中的靈芝草。不過要學得維妙維俏，卻難如登天。

——取材自《竹葉亭雜記》

【注】「木蘭」乃滿語的音譯，意思是「哨鹿」。滿族獵人的確會模仿公鹿求偶的聲音，吸引母鹿前來，但那是為了射鹿，並非獲得靈芝。據動物學者表示，鹿和猿猴、海豹、雉鳥一樣，都是一夫多妻制的動物，但若因此就說牠們「性淫」，似有不妥。

358 椵樹尋參（挖人參秘訣）

〈高麗人參贊〉說：「三椏五葉，背陽向陰。欲來求我，椵樹相尋。」椵木葉酷似桐葉，樹大而陰多，故人參生其陰處。

——取材自《人參譜》

359 陶土捏製（人形何首烏偽種法）

柳慶一帶的瑤山中，出產何首烏。由於人形何首烏十年難得一見，為獲重利，瑤人有製人形何首烏的祕技：先用陶土製成人形，有男有女，然後將山薯種入其中，數年後，再將何首烏的蔓葉安植於陶孔之頂，暴曬至乾燥，取出，賣給過客。據說每對還索價數十千。買客往往認為瑤人純樸忠厚，卻不知已被矇騙。

【注】關於何首烏名稱的由來，有個很有趣的故事：順州南河縣有個叫何田兒的人，年過五十八歲都還沒有子女，且身體十分不好。某日他偶然發現兩株能定時交配的神奇野草，好奇之餘，便連根挖回詢問村人，但無人知曉此草的名稱。後來一個鄉民說：「你既年老無子，何不試試這兩株會交配的神奇野草？」何田兒於是將野草曬乾，逐日服食。幾個月後，他發現身體變強壯了，頭髮也由白轉黑，且十年內連生數子。為此，他將名字改為「能嗣」。後來，他的兒子何延秀，也學父親服食此藥草，壽高一百六十歲；孫子何首烏，活到一百三十歲時，頭發仍烏黑如漆。當地村民驚異之餘，便把這種草藥叫「何首烏」，並廣為流傳。

據說何首烏有雌有雄，雄者苗色黃白，雌者苗色黃赤，並在夜晚時，兩株苗蔓互相交纏，因此又稱「交藤」、「夜合」。採收時需選晴朗的日子，雌雄同掘，取其塊根使用。

——取材自《斯陶説林》

360 辨別雌雄（識竹之術）

竹與萬物一樣，也有雌雄之分。《類説》云：「竹有雄雌，雌者多筍。」因此，種竹應當種雌竹。如何辨識竹之雄雌呢？《本草》云：「竹有雄雌，但看根上第一枝，雙生者必雌也，乃有筍。」簡言之，自根以上第一節發筍者，爲雌竹。萬物難逃於陰陽，不由人不信。

361 摩擦幼瓜（種小葫蘆絕技）

葫蘆開始結果時，每日加以觀察，等長到自己所希望的大小後，即用手自瓜蒂到瓜底，摩擦數遍，直到把瓜上的毛全部去掉，這樣葫蘆就不會再長大，而只增厚其肉壁。迨八月微霜時分，摘下葫蘆，割去頂端，灌一些巴豆水以腐蝕瓠肉，這樣可愛的小葫蘆就完成了。

——取材自《仇池筆記》

362 一蛆一果（橘樹多果法）

要想讓橘樹多結果，可在臘月時找一隻大老鼠，浸入糞缸中，讓牠發脹，然後在橘樹的根旁挖一個洞，以看得見樹根爲好；將膨脹的鼠屍埋入洞內，然後用原來的泥土蓋好，使老鼠生蛆。據說每生一條蛆，就會結一個橘果，蛆越多，則果實纍纍如串珠一樣。

——取材自《齊民要術》

——取材自《古今祕苑》

363 割洞入鹽（巧摘橄欖術）

有些橄欖樹又高又大，摘橄欖時難度倍增。今有一法可輕鬆獲得橄欖：在橄欖樹根部刻一個一寸見方的小洞，並拿一些鹽放到裡面，經過一夜，樹上的橄欖就會全部掉落，樹木也絲毫不受損害。

——取材自《古今祕苑》

364 竹篾箍樹（巧摘銀杏術）

銀杏樹很高，極難登樹用手摘果。其實只要拿竹篾來把樹根箍緊，然後以木敲擊篾箍，樹上的果實自然就會落下，既省時又省力。

——取材自《物類相感志》

365 繩子絞樹（巧摘棗子術）

棗樹通常枝密果多，且樹身有刺，十分難摘。棗子未熟時，即使用棍子打也很難打落；熟透時，往往早已變爛；半生半熟時，果肉又未飽滿。因此只有等棗子全紅時，在離樹根一尺左右高的地方，用繩子縛定，然後以棍絞得極緊極緊，使其陷入樹皮中，第二天棗子就會全部掉下來。

——取材自《物類相感志》

366 螢火蟲捕魚（捕魚絕技）

用螢火蟲捕魚，是漁家的不傳祕技。其法爲：羊膀胱一個，揉搓使軟，再吹脹陰乾，然後捉百餘隻螢火蟲放進去，縛緊開口，使其瑩瑩有綠光透出。捕魚時，將此羊膀胱繫在魚網中，再沉網入水，沒多久，遠近的大小魚兒就會被吸引而來，群聚網內發光處不動。此時啓網，無不全獲。

——取材自《古今祕苑》

【注】有些魚因為喜歡吃具有驅光性的水中生物，所以見到微弱的柔光，就會聚集過去。不過牠們只喜歡一點點弱光，如果光線太亮，反而會讓牠們躲到水底。古人能想出用螢火蟲尾部的冷光來捕魚，著實有智慧。

367 烤燕為餌（春燕捕魚絕技）

捕魚之法千奇百怪，用春燕捕魚也是絕技之一：將春天的燕子捉來，拔去燕毛，以炭火煨熟，放在魚網中；魚兒聞到香味，就會從遠處游入網內，此時收網，捕獲的魚肯定不少。

——取材自《古今祕苑》

368 多種楝樹（養魚速長祕術）

今有妙法，可使魚迅速生長。

第一法：將針鋒大的魚苗放到池中，用雞鴨蛋黃或大麥屑、豆末餵養，秋冬時即可獲得四五斤重的大魚。

第二法：餵養魚苗者，應知其來自泥中，故不吃其他食物，單食泥土。中春時節放入一寸長的魚苗，養到秋天就可長達一尺，並且魚肚、魚背都很肥厚。

第三法：這是養魚的一般要求。魚池不能太深，太深水寒則魚不易長大；池中應多用石頭築各種洞穴，以適應魚到處遊玩的特性；池旁多種芭蕉，滴入露水可保魚的健康；池旁種楝樹，楝子落池，魚食之可以速肥。倘若魚產子，一般產在水痕處，哪怕將來池水已乾涸十年，一旦有水，魚仔自然會活起來。

——取材自《增補致富奇書》

【注】有些魚是體外受精，因此可見母魚產卵，但有些魚卵是由母魚在體內孵化的，故出生時已是幼魚。無論產下的魚卵或是幼魚，若無可供孵化、生長的環境（指有水、有食物且溫度適中）即會死亡，不可能十年後又復活。

369 酒糟拌糠（產蝦秘法）

用已經榨乾的酒糟拌米糠撒入池塘中，三、五日後就會變成蝦了，而且蝦的味道鮮美可口。

——取材自《廣雅》

【注】此說太過神話，不宜採信。

370 牛糞相命（相牛祕術）

相牛有如下要領：牛的眼圈要大，眼白要與瞳仁眉通，以脖子長、腳大、屁股大、毛短的爲佳。毛疏不耐寒；角細腰長、項粗尾肥、梢毛捲曲雜亂的，不到三年，一命嗚呼。母牛毛白乳紅則多生子；乳疏而黑則無子。母牛一夜下糞三堆，一年可生一子；一夜只有一堆糞，三年才得一子。

——取材自《相牛經》

371 跳溝測驗（養羊祕訣）

用瓦罐裝一升鹽，掛在羊圈中，因爲羊喜歡吃鹽，如此牠們便會自動地來回去吃，不需要人辛勞地驅趕。

羊生病後，很容易傳染，所以病羊必須隔離。判別病羊的方法：在欄前挖一個二尺深、四尺寬的坑，羊如能往返跳過，表示身體健康，若不能跳過，而是從坑裡走過，表示體弱生病，應予以隔離。

——取材自《家政法》

372 煮赤豆粥（養豬速肥祕法）

若要使豬快速增肥，可先將豬仔閹割；待其閹口癒合後，將巴豆兩粒搗碎，和麻根搗爛混入糖糠餵豬。半日之後，豬即大瀉不止，等豬瀉完，多加此細料餵之，從此豬便日益肥壯，百日後可達三百斤。

第二種方法：貫仲、何首烏各一兩，麥芽、黃豆各一斤，研成碎末，每日取四兩這種飼料餵養，豬易肥。

第三種方法：貫仲、何首烏、大麥芽各一斤，拌勻後餵食，每日四兩（須等小豬出圈後過半個月才能進行）。餵完這種飼料，肥豬即可宰殺。

第四種方法：煮赤豆粥餵養，十日後可增肥一倍，此法極祕，效果甚佳。如果豬晚上不吃東西，則是生病了，可用豬牙、皂角一錢研成粉末，吹入豬鼻中，豬病立即可除。如果豬生癲，則可用煙葉筋煎湯溫擦，每日數次，一周之後即癒。

——取材自《四時類要》

【注】巴豆為中藥的一種，主治便秘、殺蟲，有毒，常被當作瀉藥。上述餵豬食含巴豆的飼料，讓豬大瀉而肥，此說頗值得商榷，且豬若長期服用，不知毒素是否會被吸收，進而影響食用者？

373 三麻一鹽（養豬速肥絕技）

豬吃麻和鹽，都會變肥。具體辦法是：將三升麻子用杵搗一千多下，然後煮成羹。待其冷卻，再加一升鹽、三斛糠拌勻，餵給豬吃。豬吃後，保證快速變肥。

——取材自《淮南萬畢術》

374 雌雄分居（母雞常年生蛋秘法）

先將半斤生芝麻、三兩豬油混在一起搗爛，然後挑小母雞一隻飼養，待其初生蛋，即將此蛋藏好，再拿製做好的芝麻豬油餵雞，注意不能給雞飲水。這樣一來，母雞便會日日生蛋而不孵蛋。另外，雌雞不能與雄雞混在一起飼養；多給母雞穀吃，母雞就會時常下蛋。這是家庭食用雞的最佳飼養法。

375 潑粥育蟲（雞速肥祕術）

將油拌麵粉，捏成指尖大的粒塊，每天餵雞二三十粒。或者硫磺研細拌飯，連續餵雞數日，這麼一來，雞就會快速成長。

——取材自《農桑輯要》

又，將雞園分成三部分，中間放養雞。每隔十天，將粥潑灑在左邊園地上，用草覆蓋起來，兩天後即生出小蟲無數；右園亦用同樣方法養蟲。接著，讓雞先吃左園地上的蟲，吃完後，將雞趕往右園。如此輪換，雞將迅速長肥，母雞則長期生蛋。

——取材自《物類相感志》

376 蒸熟小麥（養雞速肥絕技）

若想讓雞快速長肥，不上房頂，不損壞花園、菜園，不怕烏鴉、貓頭鷹、狐狸、野貓，有一法可嘗試：築牆圍成方框，並開一道小門，使成一小小的廠屋，讓雞可以在裡面躲避日曬雨淋。接著，把公雞、母雞的翅翎剪去，使其無法飛走。此外，要常多收集一些秕穀、稗麥、胡豆之類的東西餵牠，同時還要做一裝水的小槽，並用荊條爲籬編雞棲，棲離地面一尺高，只在冬季時才鋪草保暖（如果不用草包裹，小雞會被凍死），至於春、夏、秋之季，則不必鋪草，直接將雞棲放在地上，任憑母雞在裡面產卵、孵蛋（此時雞棲裡若鋪草，會長小蟲）。

剛孵出的小雞，先拿出來放在外面，用籠子罩住。等長到像鵪鶉那麼大時，再拿回去放在牆作的方框廠屋裡。至於養來當作食材的雞，可另外修築牆框，並以蒸熟小麥餵養。如此過三五天，雞就會長得又肥又壯。

——取材自《齊民要術》

377 飛崖採燕窩（馴猴採燕窩術）

燕窩產於廣東，以陽江縣最多。而當今閩、廣入貢朝廷的，多潔白無纖維與雜質，據說是加工拼裝出來的，並非天然燕窩。

許青巖說：「燕窩產於海島中的懸崖峭壁上，多為人和繩竿難以觸及之處，採集者往往蓄養善解人意的小猿猴，經訓練後，令牠背一個小布袋攀爬懸崖峭壁，將燕窩剝下塞進袋中。

「由於猿猴採集燕窩時，通常要三五天才能返回，為免牠飢餓，採集者會在小布袋裡塞滿果實，讓牠遠行不飢。笨拙的猿猴，一爬到峭壁上，就把燕窩塞進布袋裡，沒多久布袋即裝不下，只好回家。這時採集者傾倒布袋，往往發現裡頭多為原先準備的果實，燕窩少得可憐。聰明的猿猴爬上峭壁後，懂得將果實先傾倒在山岩上較為平坦的地方，待燕窩塞滿布袋，立即返家，然後再去；如此往返數次，燕窩採集得又快又好。這種猿猴很通人性，往往一隻值數百金，比笨拙的猿猴高出好幾倍。」據說許謹齋每天早晨起床後，都會把燕窩加糖水蒸來吃，以融軟爲度。不過一般人多生吃燕窩，並表示吃了以後，整天都不覺得餓。

——取材自《浪跡續談》

378 入林必擒（捕鹿術）

麢狼，形狀像鹿而頭上觭角往前長，一旦進入叢林中，觭角往往被林木所擋，行動受阻，因此只要在低矮的草叢中將牠驅逐入林，便極易捕獲。

麢狼肉肥脆香美，皮可作履襪；角正四矩，南方人多用來做踞床。

——取材自《異物志》

379 以酒相誘（捕猩猩術）

猩猩最喜愛兩樣東西，一是酒，二是木屐，所以如果想抓牠，可用這兩樣東西誘捕。猩猩初見時，必定會大罵似地嗷嗷直叫，彷彿說：「這是引誘我受騙上當的！」然後走開。但過一會，牠會去而復返，此時只要稍稍相勸，即捧酒罈痛飲，傾刻盡醉，被人捕獲。

——取材自《太平廣記》

【注】近年由於開發過度，猩猩棲息地遭破壞的情況嚴重，此外，獵捕猩猩當作寵物飼養的情況也時有所聞。為了後代子孫著想，應讓猩猩生活在屬於牠們的山林當中，切莫因一時的私慾而傷害牠們。

380 假扮和尚（捕猴術）

猴子的模仿性很強，若看見和尚盤腿而坐，就會圍著和尚坐下，好像把他當佛一樣供奉。

兩廣和西南一帶的少數民族，常捕猴而食，方法是：捕猴者帶上面罩，在野外山石上盤腿而坐，假扮和尚，雙手合什，有如坐禪。沒多久，猴子們會高高興興地跑來，並且溫馴地圍繞著捕猴者，或坐或戲，而捕猴者也與眾猴嬉戲玩耍。之後，猴群裡只會留下一隻伴隨捕猴者，其餘盡皆散去。此時捕猴者可取出暗藏的斧頭，將猴子擊斃，帶回去煮食。過些時日，又如前法偷襲。由於每次只殺一隻，所以那些猴子並不會發覺。

還有一種方法：有些人因為猴子常損害莊稼，會特意把酒糟盛於盆中，放在野外猴群常出沒的地方，並削製一二尺長的木棒三五十條，散放在酒糟盆四周。當猴群貪吃酒糟醉倒後，便會發酒瘋，揀起木棒互相打鬥，沒多久，頭破血流的頭破血流，四肢骨折的骨折，最後通通被人捕獲。

——取材自《太平廣記》

【注】據說現在有些地區還有不肖業者將猴子當作山產，吸引饕客與好奇者前往品嚐，此舉不但不人道，同時也容易染病。有人認為野生動物未受污染，所以比人工飼養的家禽、家畜營養價值高，其實這是錯誤的觀念。所有野生動物體內都含有寄生蟲與細菌，且在獵捕、屠宰的過程中也會受污染，何況一些山產店裡的野味，其來源不得而知，倘若野生動物在宰殺前便已生病或受傷，更容易將病菌傳染給食用者。常見吃野味而感染到的疾病，包括狂犬病、結核、鼠疫、寄生蟲等，據說SARS便是從野味身上而來。因此為了自己的健康與生態保育，最好還是不要品嚐野味。

381 哮吼而亡（捕虎術）

捕虎，慣用之技是弓矢、陷井、圍獵等，可宜興有一位擅長捕虎的人，所用之技卻奇之又奇，絕之又絕。他在虎蹤經常出現的地方，以自熬的黏膠潑灑在亂草上，虎來後，必在草上打滾，結果沾了黏膠的草全都黏在老虎身上，老虎越是掙扎，草就黏得越多，到最後，儼然變成一隻「草虎」。虎性最燥，急不可耐時，越發滾得快，且邊滾邊吼，最後哮吼脫力而亡。

這一捕虎之法，不費一棍一棒，不必挖井佈坑，更不必擔心虎口無情，區區黏膠一潑，即可捕虎而歸，實在是前人未有之奇技！

——取材自《簷曝雜記》

【注】由於老虎的外表凶猛、皮毛美麗，因此虎皮、虎爪和虎牙常被當作裝飾品或護身符，而傳統中醫也將虎骨、虎鞭等入藥，因此老虎多遭濫捕濫殺，有些品種早已瀕臨絕種。中醫師表示，其實虎鞭的壯陽效果並沒有很突出，而市面上所見的虎骨，也多由羊骨充當，如果有任何疾病，應到醫院看診，對症下藥，千萬別聽信偏方，以致傷身。老虎目前已是保育類動物，因此也不宜購買或收藏老虎製品，以免觸法。

第八章 相命之術

382 天地人三才（長相看貴賤）

人的面部有三停：從髮際直下至眉間為上停，自眉間下至鼻準為中停，從鼻準、人中至下巴為下停。三停象徵三才：上停象徵天、中停象徵人、下停象徵地。因此，上停長而豐滿高隆、方正而廣闊者，可望顯貴；中停高隆而峻直、挺拔而清靜者，可望長壽；下停方正而飽滿、端正而厚重者；可望富有。

如果上停尖削狹小而有缺陷，一生多刑罰、困厄之災，且會妨害剋殺父母，是卑劣下賤之相；中停短小偏塌，一生行為不義不仁、智慧見識短少，不能得到兄弟、妻兒的助力，亦會在中年破敗散失；下停瘦長而狹窄、尖細而薄削者，一生無田產住宅，且貧窮困苦而艱難辛勞。

三停都相稱的，是上佳相格的人。

——取材自《太清神鑑》

【注】人的相貌是根據父母基因配對產生，屬於天生的；而人的品行好壞、為善為惡，則受後天環境、教育與周遭親友等的影響；富有、貧窮、顯貴、平凡，多半也與自己努力與否、是否能好好把握最佳時機等有關，因此，不宜單以相貌來預測一個人的吉凶禍福，判定一個人的善惡貧富。

383 唇如角弓（長相看貴賤）

眼是監察官、耳是審聽官、鼻是嗅臭官、口是出納官、人中是保壽官。眼睛有光彩、威嚴；鼻樑高貴、隆起直上額部；口有稜角、上唇如同角張、下唇好像仰月；人中明亮——以上面相皆意味有職權。

耳有輪廓、垂肩通口，則意味長壽。

——取材自《龜鑑》

384 青黑之禍（面色論命）

額上昏暗，終年受災困頓；眼邊青黑色，君子要破財、小人要被杖責；眼鼻皆赤，謀畫事情難以成功，同時在鞍馬上要小心，提防手腳摔傷的災難；兩顴青黑色，男子有官司之災，女子生育有危險；口邊有黑氣如煙如霧，眼、耳、口、鼻、人中五官絕命，多在災殃；太歲星臨門，眼下的喪門，白得像粉痕，不單會有哭泣之事，而且也意味將困頓艱難；印堂顯現紅黃之色，一年都將吉祥，如果不是改朝換代，還能朝見君王；黃幡豹尾之歲，鼻的兩旁顏色清潔明淨，顯示沒有災禍，身心安樂。各式各樣的災禍，都由青黑的顏色帶來，只要能安守本分，順應天時，就可以趨吉避凶。

385 眼之華蓋（眉毛看貴賤）

眉是「媚」的意思，是兩眼的華蓋、面部的儀表，這就叫做木之英華，由此可判定此人是賢是愚：眉疏而細、平而闊、秀而長的人，性格聰敏。眉粗而濃密、逆生而亂，短而緊蹙的人，品性兇頑。眉長過眼的會富有；眉短蓋不過眼的缺財；眉低壓眼睛的會窮逼。眉頭昂起的性格剛強、卓然豎起的性格暴戾、下垂的性格軟弱。

——取材自《三輔新書》

眉頭相連的貧薄、妨害兄弟。眉毛逆生的妨妻，是不良之人。眉骨稜起的兇惡多滯，眉中生黑痣，聰明尊貴而賢德。眉高居頭，中年會成大貴之人。眉中生有白毫毛的，長壽。眉上有直紋的會富貴，有橫紋的會貧苦。眉中間有缺斷的多奸計；眉毛淡薄如無的，多狡猾奸佞。眉高聳秀者，有威權、有厚祿。眉毛長垂的人，長壽無疑。眉毛色澤光亮者，求官易得。眉頭連接而不分開者，早死入壙。眉如彎弓的人，品性善良而不剛強；眉如初月的人，聰明卓越。眉垂如柳者，貧窮浪蕩而無操守；眉彎彎似蛾者，秉性好色。一眉下覆一眉上仰者，兩母所養。眉如高而直，富而有清職。眉頭交破，則經常遇到倒楣挫折的事。

——取材自《太清神鑑》

386 黑白分明（眼睛看貴賤）

眼睛本是清澈的，是神采所生之處，爲木星。眼長秀分明，白者如玉、黑者如漆、聳耳入鬢，爲大貴之相。若短小而明亮，有異光輪轉而動，閃爍照人者，乃貴而長壽之相。眼突而四邊露出眼白、目光有神采者，意味有權殺。眼大而無光、長而無神、外無上下堂，眼中有赤筋侵入，眼不看遠處、頻頻轉動，睡得很沉實卻不闔上，瞳孔黃色等，皆爲不好之相。董正說：「眼頭如眼尾，一開一合含有異光者，是神仙之相、非凡之相。」此外，若雪亮的利刃在眼前閃過，雖然心中吃驚但眼睛卻不閃眨者，意味尊貴而能執掌大權，是上將之相。

——取材自《太清神鑑》

387 目善則心善（觀眼辨人術）

凡學相者，先審視對方的眼睛以了解他的內心。一個人目善則心善，目惡則心惡。眼睛緩慢平視的人，性情不急燥；不議論別人和是非，寬宏大度，這些人多爲賢哲之士；反反覆覆不斷地看、暗中偷窺、靠得很近來看、看時側頭不正、在人群中小聲說話、微笑淺談，這些都顯示奸譎、多疑，做事計較、慳吝，容易散財，且會貪慕別人的財帛。

視物時眼中白多黑少，對兄弟不友愛；語聲乾焦散亂、鼻子亮光閃閃、招惹是非、輕薄無信義、自我炫耀、眉眼突露、對人驕矜、誇誇其談、說話喧鬧、語言荒誕、才疏學淺、強作聰明、心狠如狼、妒賢嫉能，以上都是小人之相。

——取材自《鬼眼經》

【注】眼神最能透露一個人的性格、想法與內心的感受，因此與人交談時，應注視對方雙眼，一來禮貌，二來也可藉觀察對方的眼神，更進一步了解對方真正的想法、感受與態度。

388 男女眼神（辨目術）

男子的眼神一定要健旺有精神，女子的眼神一定要溫柔慈愛。能長久保持溫柔慈愛眼神的女子，一定會貴顯；而嚴肅有威、眼神剛強的男子，屬於富貴之相。眼睛白不要多、黑不可少、視物不要偏斜、眼光不要散漫、眼珠不要凸露、眼神不要困頓，就是善相了。

——取材自《靈台祕訣》

389 眼大膽小（雙目絕辨）

一般來說，眼神有六種：神怒，表示憤怒、兇惡或不滿。神安，表示喜樂或和悅。神離，表示意欲離別。神流，表示內心有邪念。神怯，表示驚恐或怯懦。神弱，表示憂愁、悲泣或哀傷。

眼珠黃色，學識蕪雜；眼珠碧綠，乃神仙異人；眼珠青色，意味將溺死於水。眼大，膽小。仰面朝天的婦女多數惡毒，低頭望地的男子喜歡作奸犯科。說話時不斷看著地面的人，意味有腹疾；眼睛忽然變青，意味肝爛不治；眼睛突然變黃，意味脾爛不治；眼睛突然變白，意味肺爛不治。

——取材自《三輔新書》

390 鼻好有聲譽（鼻子看貴賤）

鼻是用來辨別香草臭草的，是吐納氣息的處所。因此鼻好的人，有聲譽；鼻不好的人，默默無聞。鼻的部位不美好，人多傻而蠢；鼻樑柱薄削而下陷，多病而困厄；鼻孔小而縮、準頭低而曲，性情慳吝；蜣螂鼻者，缺少意志及智慧。

鼻孔大如手指者，短命而赤貧；鼻大而長者，貴顯；鼻小而仰者，貧賤；鼻高而昂，位至侍官而喜慶昌榮；鼻樑彎曲有缺陷，志向、度量都低下惡劣；鼻樑高而突然低陷者，老年要孤獨生活；鼻頭裂開，妨害妻子兒女；鼻如懸膽，官可到二品；鼻如截筒，官至二千石；鼻狹窄而高聳，到老無兄弟；鼻向左曲，先妨害父親；鼻向右曲，先妨害母親；鼻如鱉鼻，貧窮而多淫蕩；人生虎鼻，性情猛烈，帶兵而多死於刀刃，子路就有這樣的相格；鼻長智長、鼻短智短；鼻頭閃閃發亮好像老熟的蠶蟲，這樣的人富貴封侯。

391 世世封侯（耳朵看貴賤）

耳朵圓大，是有智慧的人。耳孔小，骨節曲戹，是愚蠢的人。生有老鼠耳的人長命，又多作小偷。兩邊耳朵形狀不同者，有異母兄弟。耳上大下小，是費盡心思的人。耳長而頭短者，貧賤短命。耳後有骨隆起，名叫壽堂骨、亦名輔骨。手掌中的紋長、耳高聳過眉，一定壽至百歲而不死。耳垂齊口，與財相守。耳長四寸，世世封侯。耳的顏色不潤澤，不能自己作主。耳的輪廓不具備，仕途不通。兩耳顫垂，至老獨炊。耳孔內生毫毛，長命。耳白色，有名聲。耳垂與口齊平的，資財萬億——這裡說的長耳，並非只有耳的下部長。

猴耳的人，難得滿足。鹿耳的人，貧困。耳朵好像倚金佩刀環者，可封公侯。耳要城高廓低，不可廓高城低。耳朵後面通而中間實的人，缺子少孫。

——取材自《龜鑑》

392 隆骨入鬢（顴骨祕識）

顴骨向後伸延至耳邊，但又不超過耳朵者，可望長壽。若顴骨伸延直插天倉（又名「遷移宮」，指眼角外側部位），或兩顴骨高聳，或顴骨隆起伸延入髮鬢，則可望成為監察屬吏，或統治一方的大官。

——取材自《太清神鑑》

393 丟失祖業（人中看貴賤）

人中乃人體的溝壑，上通山根，下注海口，左右是金甲二匱，內屬季夏，萬物結胎之月，是壽命、妻財、子孫之宮。

與人中形狀相應和的有九種情況：人中短而屈曲，剋害妻子；漫淺下正，財用不足；上大、輕則女子孤獨、男子性惡；下窄，意味爲人奸巧，早歲榮顯，到老孤獨，丟失祖業；上窄下寬，意味早年困滯，到老興旺；人中上有橫紋者，輕則女子孤獨，男子性惡，重則女子產厄，男子橫死，不然，到老也危困貧乏；中間深而上下都寬平，意味做事忙亂急躁，與人不和睦；人中上的髫鬚衰敗，意味財產聚散不常；髫鬚亂逆旋生，意味人生蹉跎不利；人中上髫鬚密集，意味老年時財祿興旺。

人中彎曲者，不論男女多數狡猾；人中上有黶而對應在舌下者，女子須提防產厄；人中細微如一線，意味將死於客途之中；人中的形狀如同剖竹仰面，意味貴顯並且晚年興旺；人中深長的壽長，短而深者，晚年方能得子、剋妻或短壽；人中有立紋預兆要死在異鄉；男子人中有黶，而舌頭亦有黶與之相應，這種人多遇喜事，財祿興旺，多酒食；人中紋理交雜，這種人多遇水淹之災；人中有斜立的紋，意味此人無信義，妨害兒子；人中平長分明，多正直，適宜生育子女；人中曲而淺者，多淫慾；人中黑紫，只能養他人的兒子；人中兩頭低中間高，晚年方能得子。

——取材自《靈台祕訣》

394 唇色要紅（嘴唇看貴賤）

口是說話的門戶、飲食的用具、萬物造化的關卡，同時也是心臟的外門，賞罰由口發出，是非亦會聚於口。

正直敦厚不亂說話，稱爲「口德」；誹謗多言，稱爲「口賊」。口方正闊大而有稜者，意味長壽、貴顯。口的形狀如同角弓的，有官祿；橫潤而厚的，有福富足。口正而不偏、厚而不薄者，衣食豐足。口如四字形，富足。嘴尖而反，偏薄、寒賤。口不言而自動，又如馬口者，挨飢抵餓。尖如鼠口，嫉妒毀謗。口嘬如吹火者，孤獨；嘴如狗口，貧窮下賤。有縱紋入口者，食不裹腹；口唇紫黑，多困滯。上唇長者多毀謗，下唇長者會破財；口齒凸露者，沒有智慧、早夭。口有黑子者，酒食豐足；唇色如含丹，不受飢寒；口尖如撮者，貧薄；口大能容拳者，出將入相；口潤澤而豐滿，食祿萬鐘。無人而獨自說話，賊性如鼠。

唇是口的城廓，舌是口的鋒刃。城廓要厚、鋒刃要利，厚就不會陷落、利就不易挫鈍，此即唇和舌的善相。舌要紅不要黑，要赤不要白。舌紅如朱，赤如血者，做官食祿；舌長至鼻者，位至封侯；舌上有長的紋理，位至公侯；舌上多紋，有馬成群；舌大口小，貧薄夭折；舌小而短，貧窮下賤；舌紫而黯，貧困危難；舌吐如蛇者，兇狠害人、早夭。口的態勢要深遠，形狀要方正，顏色要紅潤，語音要響亮，口德要端正，口唇要圓厚。

——取材自《玉管照神局》

395 牙背污黑（牙齒看貴賤）

鋸齒的人吃肉，牙齒平直的人吃素，這是取相於狼虎及牛馬。一說鋸齒非指牙齒像鋸，也不是指牙齒崩缺，而是指牙齒上尖下闊，形狀如同鋸齒。牙齒粗疏者，性情粗暴專橫；牙齒緊密者，性情淳厚溫和；齒白而長，富貴；齒如劍鋒，可任三品大官；牙齒疏落、參差不齊者，沒有信義；牙齒稀疏、嘴唇削薄者，喜好遊樂，不知休止。

齒長一寸，善於領兵；齒如金玉，官至二千石；齒尖、齒縫整齊致密者，少病長壽；牙齒凌亂，意味多病而短命；牙齒只有二十四顆，下賤；二十六、二十八顆者，貧窮；三十二顆者，高貴長壽。牙齒數目在三十四、三十六顆以上者，壽命長且顯貴；牙齒短密細小，是邪諂奸佞之人；上齒長凸蓋下，先妨害父親，亦會破敗全家；齒後黑色者，乃多病短命之人。

396 觀牙便知（壽數祕識）

一個人的壽命是早已注定的，藉由觀察其牙齒的情況就可以預知了。牙齒乃骨之餘，故筋血壯則牙齒豎，筋血衰則牙齒落。因此牙齒健康與否，與筋骨盛衰有關。牙齒要大而密、長而整，又要整齊而堅固，不漏風、歪斜。牙齒堅牢固密者，長壽；牙齦紅、牙齒白者，顯貴；牙齒像牛的，富有；牙齒像鼠的，貧窮；牙齦如榴花，大富，錢布九州；牙齒黑而細，困頓多滯；牙齒疏漏短缺，早夭破折；牙齒數目在三十顆以上者，一生富貴。

當門二齒是內學堂。整齊闊大者，行爲忠信。牙齒疏缺，是不好的相格。

——取材自《玉管照神局》

——取材自《龜鑑》

【注】牙齒健康與否和身體的健康息息相關。若牙齒強健，則食物入口後能仔細咀嚼，減少腸胃疾病的發生、幫助消化吸收。而蛀牙、牙周病等，表示飲食習慣與口腔清潔工作有待改進；牙齒鬆脫，表示缺乏鈣質或鈣質攝取不足，有時也是步入中老年的徵兆。

397 虎頭則雄（下巴看貴賤）

地閣，是人身的地，是全身的根基。上有承漿、波池，下臨重樓，左右兩頤，勢如奴婢。地閣是廣德學堂的部位，是田宅牛馬之宮。地閣這個部位應陰的八數，四方則榮、豐厚則富、朝接則貴、虎頭則雄、燕頷則勇、擁肉財豐，像滿月一樣渾圓的，富貴兩全。地閣朝天的最尊貴，朝人次之。如果地閣方厚加上頂平，可得祖業。地閣尖細，得不到產業的助力；頤凹陷，得不到奴僕力；肩骨下陷，得不到生財力。

地閣尖長，多破祖業，孤處異鄉。頦部有斑痕，田宅不足；頤大頦小，無法擁有祖財的力量；頦大頤小，能夠異鄉重建家業；偏側、削薄的，乃下賤之頦，勢必離鄉背井；承漿下面有豎的短紋，意味莊田墳宅長有人爭；地閣有斜紋，顯示其妻多姦淫；重頤者多富，頦薄削者實在。髯分頦露者狡猾。有鬠端正的，能得到外人的田宅；不正而偏的，破敗。大體上地閣豐厚、圓滿、平正、朝接的，富貴；偏窄、尖陷、痕瘢、破缺的，貧賤。

——取材自《靈台祕訣》

【注】承漿為相術家所謂的「十三部位」之一，在下唇中央下方的凹陷處。地閣即頦、下頦、下巴。

398 短脖大貴（脖子看貴賤）

胖子的脖子要短，瘦子的脖子要長。若與此相反，不是貧窮就是早死。

脖子，是一身的連接部分，用來結合身體及腦袋。脖子方隆光潤者，大貴；豐圓堅實者，大富。脖子側小而瘦弱者，不會是棟樑之材。脖子太長如鵝，或太短如豬，或大到像贅肉隆起的樹幹，小到如同酒罌，這些都是不好之相。脖有結喉，散走他州。竹輪說：「瘦子結喉尚自可，胖子結喉逢災禍。」脖項後肌肉豐滿隆起者，可望有後福；脖下有皮如條者，乃長壽之相。

——取材自《玉管照神局》

399 臍歪奸惡（肚臍看貴賤）

臍是筋脈會合會聚的地方，是臟腑總會統領之關鍵部位，所以臍要深而闊，不可淺而狹。深而闊者，有智慧和福氣；淺而狹者，愚蠢低賤。臍生近上邊的，衣食豐足；生近下邊的，貧窮瘠薄。臍低向下的，有見識；臍突向上的，無智慧。臍圓而正者，是善良之人；斜而醜者，乃奸惡之人。臍藏而深者，是有福祿的人；凸而出者，是低賤之人。臍大能容物的，享譽家國；臍小得僅有一撮者，惡名傳於千里。

——取材自《太清神鑑》

400 圓垂富貴（肚子看貴賤）

腹裡面包含六腑，從腹的圓或長可辨別其人貧或富。腹下涵養元靈，從腹的扁或大可知其愚或智。

腹圓而大者，其人有智慧而榮貴；腹扁而長者，其人愚蠢而卑賤。腹大而下垂者，有名聲於朝野；腹小而下垂者，乃清聰之長者。腹圓如玉壺的是巨富，窄如雀肚的則極貧。腹圓而下垂的富貴，圓而上拱的貧賤。腹尖而長的愚且賤，橫而圓的多智且顯榮。腹如抱著嬰兒的富貴、如蝦蟆的貧賤貪婪、如牛肚樣的積攢財產不順利、如狗肚的貧寒、如豬肚的低賤、如羊肚的貧困、如穿了皮衣的富有、如筲箕（一種淘米用的竹器）樣的貧寒。肚有三壬（指下腹部膨大如懸箕之狀）的貴而長壽、有好痣的有智慧、端正而形狀美的有巧技、扁薄而形醜的愚蠢命苦。

——取材自《太清神鑑》

401 直挺厚實（腰型看貴賤）

腰是腹之山，物體依靠著山以保障其安危。腰如端正而挺直、寬闊而厚實，乃有福祿之人。若偏側而有缺陷、狹小而單薄，乃微賤之徒。腰薄而短，多成就又多破敗；廣而長，能保俸祿終身。腰直而厚者，是富貴之人；細而薄者，則多貧賤。腰凹而陷的窮困下賤，裊娜而款曲的輕浮卑劣。蜥蜴腰的人，性格寬厚而和善；尖蜂腰的人，性格鄙吝而和氣。臀部高而腰凹陷的，意味一生低賤；腰高起而臀部下陷的，意味一生貧窮。大抵腰要求端正寬闊，臀要求平正而圓。

——取材自《太清神鑑》

402 龜背主福（背型看貴賤）

背是全身的基址。人不論肥瘦、輕重，都希望有背。有背的人稱之爲有土，必須要豐滿隆厚而不庸俗，像龜背那樣廣厚平闊，從前邊看如昂起，後邊看如俯下，這是福相。背屈而目光向下，頭低而背蟠曲者，不是貴相。

——取材自《太清神鑑》

403 潤澤富有（手型看貴賤）

手的用處是執持物件，故纖細修長的品性慈祥而好施捨，肥厚粗短的品性鄙吝而好獲取。手垂下超過膝蓋的，是隔世才能出現的英雄。手不過腰的，一生貧賤。身小而手大的有福；身大而手小的貧窮。手整齊而豐厚的有福；手單薄而瘦削的貧窮。手粗硬的下賤；手細軟的清貴。手有暖香的清華；手有臭汗的濁下。

手指纖細而修長的聰慧；手指短促而平禿的愚賤。手指柔軟而緊密的有積蓄；手指僵硬而鬆疏的財產破散。手指如春筍的清華富貴，如鼓槌的頑劣愚蠢，如剝蔥的當官食俸祿，如竹節的貧窮下賤。手薄破如雞爪的，無智慧而貧窮；手倔強如牛蹄的，愚魯而下賤。手柔軟如錦囊的，極富；手皮相連如鵝掌的，極貧。

手掌修長而豐厚的貴；手掌短粗而薄削的賤。手掌破缺而圓形的愚蠢；手掌柔軟而方正的有福。手掌四邊隆起而中心凹下的富；四邊薄削而中心凸起的財產破散。手掌潤澤的富有；手掌乾枯的貧窮。手掌紅如噴血的榮華富貴；手掌黃如拂上塵土的極貧。手掌青色的主貧，白色的低賤。手掌中心生有黑痣的，智慧而富有。掌心多橫紋四散的，愚蠢而貧窮。

——取材自《太清神鑑》

404 髮為山林（頭髮看貴賤）

鬢髮稀疏而淩亂的，是沒有信義的人。額上頭髮偏左垂下，先妨害父親；偏右垂下，先妨害母親。額前頭髮不整髮，也意味妨害某人，是貧賤之相。

頭髮是山林，如果不臨大澤，則學道不成——頭髮基部不整齊，就叫「不臨大澤」。頭髮斑白的人短命。頭髮潤澤如絲，一生資財富足。頭髮粗糙，早孤不樂。頭髮烏黑亮麗，多識多能。頭髮中有赤紋者，多死於兵刃。鬚髮根根豎起如同汗毛者，貧窮下賤、妨害父母及妻子。兩鬢稀疏而粗大，或細小而濃密，鬢髮豎起如同刺蝟毛的，當兒子不孝順，做臣子不忠誠。

——取材自《龜鑑》

405 聲聞天下（人形祕識）

人無論是何種外型，都必須神與氣和合相稱，如果神氣不清爽，顯露出粗俗、寒傖、低賤之態，就不是貴相了。清如寒冰、奇如美玉、古如巖松、怪如磐石，混雜在千萬人之中，能令人一眼看見就感到驚異者，便是清奇古怪的貴相。有這些相格的人，一定要有高尚的品行與修養，才能建立豐功偉業，聲聞天下。

形有五寬、五短、五慢、五露、五急、五藏。所謂「五寬」，即器識寬、行坐寬、飲食寬、言語寬、喜怒寬；五寬俱備者，抱負、成就必然遠大。所謂「五短」，即頭短、項短、手短、足短、腹短；五短俱備者，爲中流砥柱的人物。所謂「五慢」，即神慢、氣慢、性慢、情慢、行慢；五慢俱備者，可望長壽，但事業晚成。所謂「五露」，即眉露、鼻露、耳露、齒露、眼露；五露具備者，清烈孤貴，可望顯赫，但如果再加上神露，則必然會早夭。所謂「五急」，即神氣急、言語急、步行急、飲食急、喜怒急；五急俱備者，雖發達得早，但容易破敗。所謂「五藏」，即視藏、神聽藏、氣貌藏、色思藏、聲息藏。五藏俱備者，一生清貴。

——取材自《金書寶印》

406 將帥之權（吃相看貴賤）

飲食讓人得以存活。所以吃東西時不能講話，嚼食物時不要發怒。吃得急的人易肥，吃得慢的人多病。吃得少而肥的，性情寬和；吃得多而瘦的，性情急亂。吃東西時遲疑的，性格溫和。吃東西時合口的，個性淳和；吃東西時張口的，個性不義；吃東西時露出牙齒的，貧苦短命。

吃東西像鳥啄者，一生貧窮。咀嚼如牛者，可望有福祿。食如羊者，可享尊榮；食如虎者，可望有將帥之權；食如猿猴者，可望有使者的官位。

邊吃東西邊顧盼的，終生窮餓。吃得快而不遲滯、吃得安祥而不粗魯、咀嚼時不發出聲音、吞咽時不發出聲音，皆爲貴人之相。

——取材自《太清神鑑》

【注】專家表示，吃東西習慣狼吞虎嚥、吃飯速度快的人，之所以容易發胖，是因為未經仔細咀嚼的食物進入胃部後，不易形成食糜而敷貼於胃壁上，讓人總有「吃不飽」的感覺，因此往往吃得過量。再則，咀嚼時間過短，會讓迷走神經處於亢奮狀態，更加促進食慾。所以吃東西時細嚼慢嚥，不但有助於腸胃的消化、吸收，還可讓自己不致因吃過量而肥胖。

407 磨牙張眼（睡相看貴賤）

臥時恬然不動者，乃福壽之人。臥時像狗一樣盤屈者，乃上佳之相。臥時像龍蜷曲者，多爲貴人。睡覺張開嘴的，短命。夢中磨牙者，多遭戰事而死。睡時張眼者，惡死於歧路。睡中說夢話的，乃賤民階級裡的奴婢。

仰臥形如死屍者，貧苦短命。喜歡俯睡者，恐有餓死之虞。喜歡側睡者，吉慶而長壽。見了床就倒下去睡的，頑劣下賤。睡時輾轉不安的，心緒煩亂。睡而易醒者，聰慧明敏；睡而難醒者，愚昧頑劣。睡眠時間少的，神清而貴；睡眠時間多的，神濁而賤。

睡中氣粗如吼者，愚濁易死。睡中喘息不停者，可望長壽。睡時呼吸潤溫而均勻者，長命百歲。睡時氣吸入多的長壽；吸入少的短命。睡時呼出的氣作噓噓之聲者，易即死喪夫。睡時輕搖，未能安寢者，乃是下相。

——取材自《太清神鑑》

408 石貴猿賤（坐相看貴賤）

坐時沉靜平正、身體不傾斜不偏倚、穩重如磐石、腰背如有所依靠，坐下來整天不疲憊，而神色更覺清朗者，皆爲貴相。如果坐得如醉如病的樣子，或像困於思考者，便是賤相。

人行走屬陽，坐下屬陰，所以行走時需依「陽」的特性而動作，坐下時需依「陰」的特性而靜止。坐時凝然不動，乃有德行者。坐時搖膝，乃淺薄低劣之人。坐而低頭，爲貧苦之輩。坐而轉身回臉向後，則心腸惡毒。坐而搖頭擺腦者，性多狡詐。坐而不動、穩然如石者，爲富貴之人；坐而不定、恍然如猿者，乃貧賤之輩。坐定而神氣不變者，爲忠良有福祿之人。坐定而面色多變者，乃兇惡愚賤之人。

——取材自《太清神鑑》

409 龍奔蛇行（走姿看貴賤）

行是進退的節奏，來來去去的禮儀，所以從中可見其貴賤。善於行走的人，如同舟船在水，無往而不利；不善於行走者，如舟船不適應於水，必會有漂泊、沉沒之禍。因此貴人行走時，如流水一般，身重而腳輕；小人行走時，如火勢向上，身輕而腳重。

行走時不能昂首而疾行、側身而彎曲——太高則高傲、太卑則猥瑣、太急則暴躁、太緩則遲鈍。周旋不失其節奏，進退多合乎尺度者，爲極貴之人。行走時低頭者，多計謀；行走時傴胸者，愚蠢而低賤；行走時身端平正者，有福而吉祥。

行如虎步的多福祿；行如龍奔的乃權貴；行如鵝鴨之步的，家中積累千金；行如馬、鹿之急速的，一世奔波勞碌；行如牛步的，富而長壽；行如蛇爬行的，惡毒而短命；行如猿猴跳躍的，一生苦難不停；行如龜爬的，有福有壽；行如鶴步的，有天賜的福祿；行如雁行的，聰明而賢達；行如鼠走的，多疑而行爲低賤。行如浮動之船的，又富又貴；行如急火的，低微下賤。

走勢艱難而來的，品性不良；弛緩而去的，財富衣食有餘。行時腳跟不著地的，窮而短命。開步走時急如奔跑的，低賤而居於人下。行時左右偷看者，心懷偷竊的念頭；回頭向後看者，心情多驚慌煩亂。

大抵走路時的貴相是——腰不彎折、頭不低垂、舉腳穩、身體向前時挺直、開步闊、端正前行不凝滯。此外，行進間中規中矩、動作舒徐而有規律者，亦是好相。故胖子行走時像飛的一樣、瘦子行走時緩慢穩重，便是貴相了。若身體斜側、肩向一邊偏，如麻雀跳躍、長蛇爬行，都不是好相。

——取材自《太清神鑑》

【注】其實一個人的善惡、貴賤、貧富、健康、聰愚，有時候的確可由其言行舉止、氣色外觀看出。例如物質環境好的人，氣色紅潤，皮膚、頭髮等的保養也好；教育良好者，氣質高雅，行走坐臥都一絲不苟；整天為家計奔波、從事勞力工作者，則手上長繭、皮膚粗糙；身體不健康的人，容顏憔悴、眼神黯淡，一舉一動都有氣無力……相術裡所謂的貴相與劣

相，好相與壞相，很多都是觀察善人、惡人、智者、愚者、富翁、窮光蛋、病患、人瑞後的「結論」，所謂「相由心生」，只要凡事積極努力、性善而有德行、生活規律、保持愉快健康的身心，就能擁有「貴相」了。

410 洪鐘敗鼓（聲音看貴賤）

丹田是聲音的根，心氣是聲音的末端，舌頭是聲音的外表。因此貴人的聲音出於丹田，和心氣相通，氣勢磅礡而向外發出。

貴人的聲音有以下幾種：清脆而圓潤、堅定而嘹亮、緩慢而強烈、急促而平和、舒長而有威力。若是聲音大的，則如洪鐘發響，鼉鼓震動；若是聲音小的，則似寒泉飛韻，琴徽奏曲。與人交談則粹然而後動作，人與之談話則悠然而後應對。所以聲音佳善者，悠遠而聲不絕、淺顯而清晰、深沉而能內斂、宏大而不濁沌、纖弱而能清新、細微而不紊亂，出而能明、餘音激烈，猶如笙簧之樂，宛轉流暢、能圓能方；這樣的形相，都意味福祿長壽。

小人之聲，發於舌尖，喘急短促而不能遠達，好像沒有離開嘴唇，紊亂錯雜而斷斷續續、急促而又嘶啞、緩慢而又乾澀、深沉而帶滯膩、淺薄而帶急躁，或大而散、長而破、輕而不勻、繚繞不斷而無節奏、錯亂不齊而粗暴、煩亂而輕浮，粗濁氣散、蹇淺訥澀。或如破鐘之響、敗鼓之聲，或似病猿求侶、孤雁失群。細如秋季之蚓的鳴聲，大似寒蟬向晚的噪叫；雄者如犬狂吠，雌者似羊孤鳴。像這樣的聲音，都是低賤者發出的。

男人而作女人細聲的，將一世孤寒貧窮；女人而作男人粗聲的，意味一世妨害他人。身材矮小而聲音宏大者，吉祥；身材高大而聲音細小者，兇險；身材與聲音相稱者，有好運。聲音乾濕不一致的，叫「羅網聲」；聲音時大時小的，叫「雌雄聲」，這些都是淺薄之相。

神定於內而氣和於外，則聲音安祥；若神不定必氣不和，說出來的話便會雜亂無章，此即小人薄劣之相。

聲如破筒者，富；聲如破瓦者，賤；聲如破木者，貧；聲如破竹者，庸。聲如公鵝者，多破散；聲如公鴨扯，多賤徒。粗暴之聲如豺狼者，毒害多；聲音深廣能達於內室者，爲有福之人。聲細如猿，意味貧賤孤苦；聲粗如哭，表示災禍相逐。聲音明捷，意味志向遠大；聲音嫩嬌，表示家財容易破散。

聲音可分三主，並可用它來決定成敗：初聲高亢者，初主強；中聲單薄者，中主強；後聲微小者，晚命卑下。聲音不好而又做兇惡之事者，必多災難和刑厄——做官的丟官，有財的破財，男人不能保其家室，女人則不能保其家庭。

聲音亦有以五行來分析者：木音嘹亮高暢，激越而和諧；火音焦裂躁怒，有如火般熾烈；金音和諧而不暴戾、潤澤而不枯乾，如玉磬那樣流暢；水音圓轉而清澈、湍急而暢快，或條理暢達而流動、激烈而奮揚；土音深而不淺、厚而不薄，渾然如從咽喉之間發出。與形格相養相生的，吉祥；與形格相剋相犯的，凶險。

——取材自《玉管照神局》

411 如虎踞坐（富相祕識）

行動像虎奔馳、龍飛騰的人，職位能達王公以上；走路時像鵝鴨的人，可積累金玉。進食時像羊一樣咀嚼吞咽者，財祿自然豐足；進食時像牛一樣合口細嚼者，亦可財祿豐足。眉毛清疏有彩、眼睛蘊藏精神，像虎一樣跨坐、像龍一樣盤臥，身體不動且聽不到氣息者，多為顯貴、長壽之相。

賤鄙之相：吃東西時掉滿桌、滿地；立坐時多傾斜依靠；睡覺時多囈語，身體仰臥如同殭屍，氣息粗喘、頻頻翻身，不能安睡；還未張嘴說話，口水就先流下來；搖頭擺臂，不停地長吁短嘆；氣息短微、聲音乾澀。

白雲子說：「腰像黃蜂一樣細、步履又急又碎、兩肩像怕冷般縮起來，這樣的人，就像在風雨中飛向樹林的鶴一般狼狽不堪。」又說：「聲音乾澀的，沒有財祿；聲音輕細的，沒有權勢；聲音細微的，缺衣少食；鼻尖易冒汗、走路時腳跟不著地、走路時像馬跑、頭伸在前的，都不是好的相格。」

——取材自《心鏡》

412 十種貴相（貴相祕識）

面黑身白，是第一種貴相；面部粗大而身體細小，是第二種貴相；腳短手長，是第三種貴相；身材細小而聲音宏大，是第四種貴相；龍骨（臂骨）很長大而虎骨（肘、腕骨）極短小，是第五種貴相；面短眼長，是第六種貴相；不用細嗅也能聞到他身上發出的香氣，是第七種貴相；頭頂上肉角隆起，是第八種貴相；背部如同龜殼一樣，是第九種貴相；獨坐時像山一樣挺拔穩重，是第十種貴相。與此相反的，則是十種賤相。而下賤的骨相包括：頭頂骨尖小、山根（即鼻樑）斷陷、樑節骨橫起、鼻頭尖小。一個人沒有神氣、沒有正常的臉色、不能發聲，那是極低賤的相格。

——取材自《太清神鑑》

413 陽盛為男（辨腹中胎兒性別術）

孕婦生男還是生女，要看氣血的盛衰。在正時稟承眞氣而成孕者，陽盛爲男，陰盛爲女。若陽精太盛，會形成多生的手指，或者胎兒在胎裡就長牙齒；若陰血有餘，胎兒的頭髮在腹內就會變白。

虎口處有點點青斑，胎兒一定缺唇；虎口筋紋皆暗，胎兒必定不止一個；筋青而不正，胎兒頭髮稀疏；青筋大現，胎兒骨骼堅硬，且較早能走；青筋雙牽，意味懷有雙胞胎；筋浮不正，意味胎兒有缺陷，會很難養；青紋不足，生子學步遲緩；紋筋相交於虎口，子死；右湧紋筋，女病。

要準確判斷胎兒的性別，可看虎口處：左邊青色至口是男，右邊青色至口是女——水聚鳳池知生女，土聚龍宮定是男。若黯慘不明如濕土，子難保育母難安。又看右邊臉上三陰之位，赤色的便會生女。如果左邊臉上的三陽部位又黑又白，意味母子隔離。壽上（指鼻樑的上半部）現黃色，懷孕平安；人中有靨，提防產厄；人中有紋，意味即將難產。

——取材自《靈台祕訣》

【注】古代由於醫學不發達，科學也不普及，因此有許多生男生女的祕方，或判定胎兒性別以及健康與否的祕術，這些多半毫無科學根據，不宜輕信與嘗試。現今醫藥發達，醫學與科學常識也很普及，婦女懷孕後，只要定期去作產檢、注意身體健康與均衡飲食、適度運動，就能生出健康的寶寶來，男孩女孩一樣好。

第九章 鑑定之術

414 火筷驗真（辨假蜂蜜法）

蜂蜜有較大的藥用價值，但市場上有很多是摻雜了白糖或粉末的假蜜。若要鑑別眞假，可將火筷燒紅插入蜂蜜之中，冒氣的是眞蜜，起煙的是假蜜。

——取材自《本草綱目》

【注】農委會提供消費者辨別真假好壞蜂蜜的方法有四種：一是將手掌放在瓶後，若看不清五指、氣泡少或無，便是好蜜；二是嚐起來有花香、味道濃厚、入口圓滑的，便是好蜜；三是沖泡開水後，香甜略帶酸味的，便是好蜜；四是經檢測，蔗糖含量低於百分之五者，就是真蜜、好蜜，反之則為偽劣蜜。此外，純蜂蜜的葡萄糖含量高，在攝氏十三度以下會成結晶狀，這是正常的物理現象（所以盡量不要將蜂蜜放入冰箱內保存）。而真蜜的結晶，用手捻時易融化，摻糖的假蜜結晶較硬，手捻時不易融化。

又，蜂蜜所含的維生素、礦物質、蛋白質及酵素等營養素，在高溫下容易被破壞，因此若要在甜湯裡加蜂蜜或用水沖泡飲用，最好先將甜湯或熱水放涼些（水溫宜在攝氏六十度以下），再摻入蜂蜜。

415 水中泛綠（鑑定祖母綠眞僞法）

方法一：用碗盛滿清水，把寶石放入碗中，能使整個碗出現隱隱綠色的，是眞祖母綠。

方法二：把寶石放入銅盆中，四周用白紙圍好。以火點燃白紙，若能使火變成綠色的，便是眞祖母綠。

方法三：準備熱炭一盆，把寶石放入炭中，炭飄香氣而火卻即刻熄滅的，便是眞祖母綠。

——取材自《文房肆考》

【注】目前已有專門的儀器可以鑑定珠寶真偽，所以若想知道自己收藏或購買的珠寶是否為真品時，可將珠寶帶至礦物局、礦岩協會或珠寶玉石鑑定所請專家來鑑定。

416 摩擦變色（鑑定瑪瑙眞僞法）

要想鑑別瑪瑙的眞僞，可將瑪瑙放在掌中摩擦一番，不變色者屬於眞品，否則就是用清松脂加入明粉同玻璃碎片製成的僞品。

——取材自《文房肆考》

417 舌舔即知（鑑定水晶眞僞法）

如果是眞水晶，即便在六月三伏酷熱天氣裡，用舌頭舔之，也有冰冷刺骨的感覺；假水晶則無此感覺。眞水晶無論如何高級，內中總有淡淡的水暈，並且其邊沿光線呈純白色；假水晶則無此現象。

——取材自《文房肆考》

【注】辨別水晶一個最簡單的方法，就是看它是否有「結晶型」與「內包物」（即礦物質或氣泡）。一來說，有結晶型或內包物的水晶，幾乎就可確定為天然水晶，但清澈透明的水晶也不一定都是人工水晶，需用儀器作進一步的鑑定。

418 無所遁形（鑑定玉器眞僞法）

玉中的精品，價值連城，商人重利，以僞品充斥，形質色沁，相差無幾，內行人尚且容易受欺，初學者更難避免了。僞造玉器的辨法有很多種，但不外乎下列幾個要訣，初學者若能揣摩而又觸類旁通，則十不離九，僞品定無所遁形。

古玉久埋土中，必有水銀沁入，贗玉則無。此是眞僞之別。玉喜水銀，因埋入土中，久不透風，體朽質鬆，地中水銀便沁入膚理（非指殮屍水銀）。看水銀需分老嫩，若三代舊玉，水銀在內已結成塊，乾老色滯，參差錯落；若秦漢時入土，則水銀明晃活潑，有成片者；若唐宋時舊玉，水銀吸入未老，得人之熱氣後，盤弄滾動，水銀自會流出。

角實：秦代的玉器作坊，在陝西萬村；吳越時期的玉器作坊，在浙江安溪。兩處所遺玉角甚多。萬村之玉堅潔，安溪之玉乾鬆。琢爲玉體，稱「角實古玉」。土斑周遍間而有光處的便是僞品，看上去質地雖古，器則新琢，且亦能盤出包漿。

煨頭：玉體用火燒之，則其色灰死，就像雞骨頭一樣。將僞古玉燒成古色，其表面會出現火劫紋，眞品則無。

羊玉：將美玉琢成古器，然後割生羊腿皮，納玉其中，以線縫固。數年後取出，則玉上會出現血紋，以此充當傳世古玉。唯不知眞品有一種溫靜的氣質。

狗玉：殺狗不讓出血，趁熱納玉於腹中縫固，埋在大馬路的土裡，數年後取出，則玉上自有土花斑紋，以冒充古玉。但必有新色及雕琢之痕跡。

梅玉：將質地鬆軟之玉製成古器，用重烏梅水煮一整天，則玉鬆處被烏梅水掏空，並呈現水痕。接著，以提油法上色，充當古玉騙人。眞品其痕自然，僞品則有造作之跡。

風玉：玉器以濃灰水稍加烏梅，煮一整天，然後趁熱取出，放在風雪中一夜，則玉紋凍裂，玉質堅者紋細如髮。接著，以提油法上色，僞作牛毛紋。然眞品曲折粗細，僞品則無。

叩鏽：乾隆時無錫阿叩，僞作毛環玉器——用鐵屑拌之、熱醋淬之，置濕地十餘日，再埋大馬路上數月，然後取出。此時玉爲鐵屑所蝕，遍體生橘皮紋，紋中鐵鏽作深紅色，煮之則色暗，具有土斑，灰不易退，與古玉沒兩樣，須詳加審視才能辨別。

提油：以砂提爲上，其色能透入玉理，灰煮不退，與眞品無異。唯天陰鮮明，晴爽混濁，眞品則不是如此。

老提油：宋代宣和、政和年間，有人將甘肅大山中所產的一種紅光草搗成汁，然後加入礦砂少許，以醃新琢的玉器。之後，再用新鮮竹枝燃火燒烤，則玉之膚理色紅，且光透背面，猶如雞血。即便是能識玉的行家，也常被騙，唯可欣慰的是，此僞品甚少。

新提油：以壞坯夾玉石，入紅木屑中煨之則紅，烏木屑中煨之則黑。此僞術大都出於蘇州。

死玉：玉大都畏黃金，所以如果玉器入土中與金相近，久受其剋制，則黑滯乾枯，雖加以雕琢，仍頑固不化，等於是廢物。

石類：石頭裡也有色彩溫潤、極似美玉的。唯石類乾鬆輕脆，賊光外浮，只要細心分辨，即可識別。

總之，凡僞古玉無土斑而有紅色者，其色必浮，原因是色自外入。有土斑而灰之不變，以及紅色盤之而易退者，都是僞品。

——取材自《漢玉研究》

419 殘聲遠沉（辨玉眞僞法）

李淳風在〈論辨眞玉〉裡論及如何辨別眞玉時寫道：「其色如肥物所染，敲之，其聲清引，宛若金磬之餘響，絕而復起，殘聲遠沉，徐徐方盡。」不久前，唐州參政之子喻，字義可，收藏一塊璧玉，凝滑如脂，沒有絲毫缺損，只是上面有兩個粟子般大小的赤黝，據說那是被棺木裡的屍體液所浸染而成。輕擊之，其聲清越悠揚，正如李淳風所說。此璧與當今世上所見之水蒼玉相比，簡直不可同日而語。

——取材自《宋稗類鈔》

【注】水蒼玉為玉的一種，顏色似水之蒼青，而有紋路。

420 磁鐵相誘（辨眞玉法）

如今眞玉越來越少。有的玉器，雖金鐵不可近，但仍用沙碾之法僞琢而成，被世人誤認爲眞玉。有一辨法可知是否爲眞玉：用定州磁鐵相誘，若是眞玉，則絲毫不受損傷。我（《東坡志林》作者蘇東坡）以此法詢問皇家後苑的老玉工，玉工笑而不答，終不肯傳世。

——取材自《東坡志林》

421 醋煮即爛（鑑定象牙眞僞法）

眞的象牙有一些細小花紋，倘若把它放在醋中浸泡一夜，它就會柔軟得如同要腐爛一般，可任意製成精細的工藝品。製作完成後，再用木賊草水放慢火煮一下，就會堅硬如初。

假使不具備這些特性，就表示並非眞象牙。

另一種方法是，用醉鹵煮象牙，它自然會變軟。若要恢復其硬度，用木賊草水慢火煮過即可。

——取材自《文房肆考》

【注】醋有軟化物質的效果，醉鹵則是以酒為原料製做出來的醃漬液。

422 磨之不熱（鑑定犀角眞僞法）

犀的貴賤，以其紋粗細而定，貴者有通天花紋。有人說通天者，是其病，其理不可知。通天犀腦上的角，長且銳，有白星貫徹其端，能出氣通天，並可通神、破水駭雞。《抱朴子》說：「通天犀有白理如綿者，用以盛米，雞見即駭。」用通天犀角雕魚，銜之入水，可使水開三尺，俗稱離水犀。

犀以黑爲本。其色黑而黃者叫正透，黃而有黑邊者叫倒透；正透者世人貴之。南中有假冒犀者，檢驗方法是：磨之漸熱者是假。眞犀性涼，磨之不熱。

——取材自《宋稗類鈔》

423 無技仿冒（鑑定唐紙眞僞法）

祕閣所藏極豐，凡是二黃書法，多爲唐人所臨摹，紙質皆硬黃。蘇東坡因此寫道：「硬黃小字臨《黃庭》。」流傳於民間的二黃書法，被僞稱爲眞跡，卻不知其紙可證，識紙即可識僞。硬黃之紙，是唐代之物，前無後絕，仿也無技，可謂恨煞售贗者。

——取材自《錦繡萬花谷》

【注】《黃庭》即王羲之所寫的《黃庭經》，又名《換鵝經》。關於《換鵝經》名稱的由來，有個很有意思的說法：相傳山陰有位道士，很想得到王羲之的墨寶，可惜苦無門路。某天他聽說王羲之很喜歡鵝，靈機一動，便買了一籠又肥又大的鵝前往王家，請王羲之寫經。愛鵝成痴的王羲之見了那一籠鵝，二話不說，便花半天時間寫成《黃庭經》，然後以此經與道士換鵝。後人為了紀念這段佳話，便稱王羲之所臨摹的《黃庭經》為《換鵝經》。

424 南北有別（鑑定拓帖眞僞法）

市井所售的拓帖，僞作甚多，如何辨識，令人無策。浩浩書籍之中，偶得識僞之法，錄之傳人：

帖有南拓北拓，依南北紙局而分。北紙用橫簾造，其紋橫，其質鬆而厚，稱作「側理紙」；南紙用豎簾造，其紋豎，東晉二王（指王羲之、王獻之）眞跡，即多用會稽豎紋竹紙。北紙厚，不甚受墨，北墨多用松煙，色青而淺，不和油蠟，故北拓色淡而紋皺如薄雲飄過青天，稱「夾紗作蟬翼拓」。南紙薄，容易受墨，墨用油煙，以蠟及烏金紙水敲刷碑文，故色純墨有浮光，稱「烏金拓」。邢子願說：「唐宋拓帖，多用北墨北紙，微以駱駝油少澤之，其光可鑑，而無卵清膠黏氣。」但北拓也有用油的例子。

——取材自《考槃餘事》

425 聲色精妙（古瓷鑑定法）

唐末，前蜀王王建送後梁太祖朱全忠的信物裡，有一件叫「金稜碗」的器物。越《瓷器致語》記載：「金稜含寶碗之光，祕色抱青瓷之響。」乃吳越錢繆所作。後梁所燒之祕瓷相沿用以奉柴世宗，所以稱「柴窯」。祕瓷雲色如天、聲音如磬，精妙至極，現今再也見不到了。

——取材自《宋稗類鈔》

【注】「祕色」是指稀有的顏色，「金稜碗」據後人考證，應為一種以高溫燒成的金黃釉瓷碗。

426 齊磚魏瓦（古磚鑑定法）

何栻（號悔餘，清道光年間進士）的〈鄴中詠古〉有詩句云：「齊磚魏瓦人爭託，想見當年土木妖。」詩後自注曰：魏銅雀瓦，色青內平，印工人姓名，皆八分書，用以製硯，注水數日不滲。

據我（《骨董瑣記》作者鄧之誠）所知，齊起鄴南城，磚瓦都漆上一層胡桃油，當油處有細紋，曰琴紋；有白花，曰錫花。古磚大者方四尺，上有盤花鳥獸紋、千秋萬歲字。所紀年號，不是天寶，就是興和。還有一種承接簷溜（屋簷間流下的水滴）的磚筒，花紋、年號與磚相同，內圓外方，也可用來製硯。王安石有詩云：「陶甄往往成今手，尚託虛名動後人。」宋朝以後，魏瓦齊磚已不可多得。

——取材自《骨董瑣記》

【注】據說「銅雀瓦」乃曹操興建金鳳、冰井、銅雀三臺時所用的瓦片，後來成為骨董，部分還被製成硯台，是很珍貴的古器物。

427 指甲痕跡（銅錢鑑定法）

古時，錢名各不相同，有文德皇后、武德中行、開元通寶等。這些錢的命名和書寫字樣，都由歐陽詢親自處理，通常會先鑄一樣品敬呈御覽，等皇帝恩准後，掏一指甲痕，再開始鑄造。

——取材自《錦繡萬花谷》

428 色如瓜皮（古銅鑑定法）

埋於土中千年之久的銅器，如何識別它的眞僞呢？

一般來說，銅器的顏色純青，猶如翡翠；早上顏色稍稍淡些，中午以後，則變得清潤欲滴，至於泥土侵蝕剝落處，則必有蝸篆形狀。如發現劃痕，多半是僞造品。銅器墜水千年，則成純綠色，好似西瓜皮瑩潤如玉；未達千年的，雖青綠卻不潤。

一般人鑑別銅器是否古遠，只以其輕重而定，但這並不恰當，因爲大而厚的銅器不管怎樣鏽蝕，銅性尚存，其重依然。小而薄的銅器，容易被侵蝕，即使擊破其某個部位，也看不見綠色。如果古銅器未入水土，而在人間流傳，則會呈紫褐色，並有朱砂斑。若將它放入鍋裡以沸水浸泡，過片刻顯出斑鏽的，必是久遠名貴之物；僞品的顏色則只在外表。水中、土中及人間流傳的眞品銅器全無半點腥氣，如果是僞品，只須用水摩熱擦銅器，便會發出一股強烈的腥氣來。

——取材自《文房肆考》

429 愈工整愈俗氣（古硯鑑定法）

邢侗（字子愿，明萬曆年間進士，爲明代著名的書法家）在寫給王稚登（字伯谷，明嘉靖年間進士）的信裡曾提到說：「春中祝融不仁，延及外藏，一二研石，化爲池魚，煩公爲購一枚，値可十千而殺者（今年春天因爲家裡失火，我所收藏的那幾個硯石也遭池魚之殃，化爲烏有，請您幫我買一個價格大概在十千左右，並可殺價的好硯來）。」由此可知，當時用十千兩，即可購得佳硯。現在以比十千兩還多數十倍的價錢所購得的硯台，還不一定是上品呢！

時下的人很看重宋硯，然而多數是僞製品，遠不如明朝石硯貴重。乾隆皇帝作〈題硯〉詩時，指出「做得愈工整愈俗氣，當等之自鄶（春秋時，吳國的季札曾在魯國欣賞各國樂詩，並加以評論，唯自鄶國以下者，均不再評論。後比喻程度太低，不屑評論）」。所以每當發現硯上有款識者，或製作渾璞之明石時，無論價格多貴，均可收購珍藏。

——取材自《骨董瑣記》

430 竹藏風雨（古書法鑑定術）

鑑別古書法的眞僞，應當先觀察書法的結構運筆、精神照應，然後觀察人爲天巧、眞率做作，隨後考證古今跋尾、相傳來歷，辨明收藏印識、紙色絹素。如果得其結構而無鋒芒者，定摹本；有筆意而無位置者，是臨本；筆勢不連貫，如算盤子，則是集書。若雙鉤形跡猶存、無精采精氣者，入眼即可辨爲僞作。

古入用墨，無論燥潤肥瘦，俱透入紙素，僞作則墨氣浮而不實。特別是繪畫，更是如此：人物顧盼語言，花果迎風帶露；飛鳥走獸，精神逼眞；山水林泉，清潤幽曠；屋宇深邃，橋彴往來；石老而潤，水淡而明；山勢巍峨，泉流灑落；雲煙出沒，野徑迂迴；松偃龍蛇，竹藏風雨；山腳入水澄清，水源來脈分曉。倘若如此，雖不知名，定遇妙手。如果人物如屍如塑，花果像瓶中所插；飛鳥走獸，但取皮毛；山水林泉，佈置迫塞；樓閣模糊錯雜，橋行強作斷形；境無夷險，路無出入；石止一面，樹少四枝；或高大不稱、遠近不分，或濃淡失宜、點染無法，或山角浮水面，水源無來路。倘若如此，雖不知名，定是俗筆。以此訣來鑑別畫卷，就不太容易看走眼了。

唐絹粗而厚，有獨梭絹，闊四尺餘；五代絹粗如布；宋畫院絹細而薄；元與宋相等，不過稍欠勻淨。元代嘉興魏塘密家所織的，稱「密家絹」，極爲細密，趙孟頫、盛懋、王淵（以上三人皆爲元代著名畫家）多用此絹作畫。古絹雖歷世久近不同，但都絲情消滅，受糊既多，無復堅韌，以指微拖，則絹素如灰堆起，縱百破卻極爲鮮明，嗅之有古味，其碎裂紋，橫直皆隨軸勢；作魚口形，且絲不毛。僞作者相反。舊紙色淡而勻，表舊裡新，薄者不裂，厚者易碎，相反的則是僞作。

——取材自《骨董瑣記》

431 絶無花紋（古箋鑑定法）

據繆芝鳳先生說：「宋、元時期所用的箋簡，大多使用黃、白二色，紙的邊側雖有其他顏色，但絕無花紋。製造贋品者並不知道此一考古知識。」

——取材自《骨董瑣記》

432 形似枯骨（玉器年代鑑定）

凡玉質堅硬細膩，溫潤沉重，必入土久遠，其性質漸漸變化。如何得知玉器年代？有祕術可識：大概入土中五百年，玉體會發鬆受沁；入土千年，則玉質似石膏；入土二千年，形似枯骨；入土三千年，爛如石灰；入土六千年則不出世，早已爛化如泥了。

三代以上舊玉，質已朽爛，玉體鬆脆，用指爪去掐，即可掐落，此玉通稱「老三代」；秦漢時舊玉，質地爛鬆，玉性未盡，只有用刀才能削落；魏晉六朝舊玉，質地未變，玉性尚堅，偶有軟硬相間的玉器，係南土的古藏之物；唐宋時的舊玉，質地依然，堅硬如故，水銀也偶爾有沁入的。

——取材自《漢玉研究》

433 指紋為憑（名壺製作者鑑定）

砂壺的製作始於金山寺僧人；當時他們用紫砂泥作壺具，以手指的指紋爲標識。後來提學副使吳頤山在寺中讀書，侍童供春（一名龔春，明正德至嘉靖年間宜興人）發現了製壺之法，便學其技而成名。

此後，好壺以無名指指紋為標識。供春之後，董翰、趙梁、文暢、時朋稱「四大名家」，其中時朋將技藝傳給兒子時大彬。時大彬製壺有奇癖，即喜歡將甓（磚的一種）搗毀，以杵舂碎成土，再做成壺型，入爐燒製。倘若燒出的成品不滿意，當即摔碎，常常一摔就是七八個，直到有一壺中意為止。時大彬一掌有六指，而他製的壺，必在柄上留下拇指印記，作為識別的標記。

時大彬之後，則有陳仲美、李仲芳、徐友泉、沈君用、陳用卿、蔣志雯諸人。徐友泉的名壺有：雲缶、蟬觶、漢瓶、僧帽、提梁卣、苦節君、扇面、美人肩、西施乳、束腰菱花、平肩蓮子、合菊、荷花、竹節、橄欖、六方、冬瓜段、分蕉蟬翼柄、雲索耳、番象鼻，沙魚皮、天雞篆耳等式；陳仲美別製鸚鵡懷；吳人趙壁則仿時大彬的壺式，並改用錫製，從此錫壺出現。

壺為哪位名家所製，以手指指紋為識，實是道中之人才知的祕事。

——取材自《骨董瑣記》

【注】 有些愛茶人士喜歡養壺。其實並非只有宜興紫砂壺才能養壺，石壺或手拉坯壺等壺具表面不過於粗糙者，皆可養壺（但瓷壺、釉壺、鐵壺、錫壺就不宜了）。養壺最重要的一點是，一壺

只泡一種茶。因為能養壺的茶具，大多善於吸收茶湯，長期使用下來，即使不加茶葉，單用沸水亦能沖出淡淡茶湯來。所以如果一把壺泡多種茶，勢必會讓茶味混在一起，泡出來的茶湯，味道就大打折扣了。再則，有些人喜歡將茶葉留在壺裡，任其陰乾形成「茶山」，其實這樣很容易滋生黴菌。而將最後一泡茶湯存於壺內，下回使用前再倒掉的養壺法，也容易滋生黴菌，不但有礙健康，泡出來的茶也會走味，是不正確的養壺法。

434 吹而不破（桐油優劣鑑定）

用桐油塗染木器，可使木器經久耐用，若是用了假桐油，則會損傷木器。現有一鑑別眞假桐油的方法：純桐油，含重膠液，如果用篾圈蘸之，會有一層弧狀物黏於圈上，而且幾秒鐘內吹不破；若桐油摻了雜質，雖有弧狀物黏於篾圈上，但一吹就破；桐油摻的雜質較多，便根本不能黏上圈。此法非常靈驗。

——取材自《遊宦紀聞》

435 墨散為梢（木料本末鑑定）

若要鑑別一塊木料的本末，可用刀斧砍一小塊用墨塗其兩端，墨易散的一端是末梢，墨不易散的則是根部；木暈緊密者是根，鬆散者是梢。但香紫檀、烏木、銀梨等樹，木質堅硬，兩端皆不散墨，若要區別本末，可用小槌敲其兩端，音質堅實的地方是根部，柔和的地方是末梢。

——取材自《文房肆考》

436 一刮即知（琴瑟材質鑑定法）

本實而末虛的木材只有桐樹。反之，如果想鑑別木材之本是否堅實，可取一小枝用刀削其背，若堅實，則其本皆中虛。因此孫枝爲何貴重，就貴在其實。用它製琴瑟，因其材堅實，故絲弦彈出的音韻有木聲。

——取材自《錦繡萬花谷》

437 薰衣與入藥（沉香等級鑑定）

嶺南諸州及瓊崖，山上多香木。然而，眞有香者百僅一二。有香的樹木分三等，一等爲「沉」，二等爲「箋」，三等爲「黃熟」。「沉」與「箋」又有二品，即熟結、生結。所謂「熟結」，指香得自自然腐爛的香木；所謂「生結」，指砍伐香木後，放置直到它腐爛而取香。「黃熟」也分三品。

沉香佳品，是以瓊崖生取者爲最，稱「角沉」，宜薰衣。黃沉木枯朽後剔取者，稱「黃沉」，宜入藥。

——取材自《香乘》

438 宮中異香（香料種類鑑定）

宣和宋徽宗時期，宮中非常重視各種異香。廣南所進貢的有篤耨、龍涎、亞悉、金顏、雪香、褐香、軟香等。其中篤耨有黑白兩種，黑者每次進貢數十斤，白者只有三斤，都盛在瓠壺內，其性奇香，可當作薰漬，剖開後還能用火燒，叫「瓠香」。白者每兩值八十千，黑者值三十千。大臣若獲賜，均當作珍奇寶貝。

進貢之寶中還有一種叫貓兒眼的，據說能熄火——在大火熾烈燃燒之際，將貓兒眼投入火中，火即熄滅。此物也是一種解毒之藥。

——取材自《宋稗類鈔》

439 五色凍龍（青田石種類鑑定）

青田石出自浙江青田縣東門外兩百步的季井嶺（季井嶺因宋代神童季申臯而得名）。採石前，先要掘洞，通常十餘人共掘一洞，掘洞者常千餘人。採石洞口高六七尺，洞內直徑約三四尺，曲直不定。洞內冬溫夏寒，故採石工冬則赤身裸體，夏皆穿厚棉衣。

青田石品種，以五色凍龍最珍貴，其他尚有夾板凍（產夾板嶼，色黑，有青有黃，似燈光不透）、周青凍（產周村，色青，有黃斑黑紋，性堅）、紫壇凍（五色）、松皮凍（色青黑，性堅，有紋）、武池石（紅如朱，白如蠟，性軟膩）、官紅石（色絳，間有花斑）、何幽石（色如豬肝）、渡船頭石（色嫩黃，亦有青色，性堅而瑩，唯經水曝日即裂）、牛墩洞石（色硬黃）、老鼠石（色白不瑩，無釘皆小材）、臘石（如臘肉骨者佳，乾腐次之，條青又次之），這些都容易下刀，刻者得心應手。另有一種凍石，色如熟白果，質堅起毛損刀，產於遼東，不是青田石。

——取材自《骨董瑣記》

440 五色相映（印章石種類鑑定）

刻印章所用的石頭，從前流行青田石，並以名爲「燈光」的品種爲貴。近三十年來，福建壽山所產的石頭也很有名，不但石質溫潤，適宜鐫刻，且五色相映，光彩四射，紅如鞋鞘、黃如蒸粟、白如珂雪，時下竟相尚之，以致它的價錢，與燈光石相等。但因開鑿日久，山石枯竭，近來常以芙蓉山的石頭冒充，不再有以前那種寶色，其値也不及壽山石的五分之一。壽山、芙蓉山皆在福州。

——取材自《香祖筆記》

441 五色玻璃（鼻煙壺種類鑑定）

趙之謙所著的《鼻煙壺考》說：「煙壺初制，爲古藥瓶式，故呼爲瓶，後唯稱壺。」煙壺都是用五色玻璃製造的——早年流行玻璃、車渠、珍珠材質的煙壺，後來又流行明玻璃，顏色微白，色如凝脂或霏雪，叫「藕粉」。

知府閻研鄉說：「康熙時期的鼻煙壺多套紅、藍二色，今僅存者，俗稱三十六天罡。」我（《骨董瑣記》作者鄧之誠）居住京師已近十年，看過兩個套紅色、一個套藍色的鼻煙壺，證明閻研鄉所說不假。雖有綠黑白的、藍綠地（底）的、黑地的、套藍紅地的，但都不多見。還有兼套二彩、三彩、四彩、五彩者，或是重疊套，雕鏤都很精絕。

凡製作鼻煙壺的工坊，都稱「皮」，如「辛家皮」、「勒家皮」、「袁家皮」等（辛、勒、袁三人原爲宮廷匠師）。其中辛家皮最著名，也最精潔，多屑珍寶爲之，光彩奪目；而勒家皮的藕粉地鼻煙壺，色白如冰雪，且設計奇巧，紅紫蒼翠，渾如天成；至於袁家皮的產品，則與辛家皮相似。另外還有一家叫「古月軒」的作坊（相傳祖師爲一胡姓工匠），以五色車渠貝爲底，上繪彩圖，間寫小詩，並在壺底題「古月軒」三字，其題字以乾隆年代製作者爲最美。煙壺發展到後來，出現雕鏤仙山樓閣、珍禽異獸，並點滿天繁星，稱「桃花洞」。自此以後，遂有琢玉石、羅珍寶之類的華麗鼻煙壺，許多人不惜重資購買，只爲滿足自己的虛榮心。

從前造煙壺，大多以攜帶方便爲考量，所以小的只有寸許，甚至小如指節。嘉慶以後，開始流行寬大的煙壺，後來漸漸大至盈握。有些富貴人家家裡陳設的瑪瑙煙壺，大可容二升，起初壺口直徑約四分多，後來改爲窄口，不超過二分。

——取材自《骨董瑣記》

【注】鼻煙是指在研磨過的上等煙草末中，摻入麝香等名貴藥材，然後放在密封蠟丸裡陳化多年的鼻吸藥物，使用時將它放進特製的小壺裡，蓋上壺口，隨身攜帶，隨時吸聞。相傳鼻煙為明末傳教士利瑪竇所引進，並在清康熙、乾隆年間盛行，無論貴族或平民，皆視為日常生活的必備品，不可一日或缺。聞鼻煙可提神醒腦、避疫驅寒，並治頭痛、鼻塞，具明目、活血等功效，同時也能舒緩壓力，讓身心放鬆，頗類似近年流行的芳香療法。

442 入蚌再育（假珠變眞珠術）

先在自己製作的假珍珠裡，揀選光瑩圓潤者，再找一些稍大的蚌蛤養於清水中，待牠開口時，立刻將假珍珠放入蚌殼裡，之後，經常更換養蚌的清水，並在夜裡將牠置於月光下，讓牠充分吸取天地月光的精華。如此過兩年，假珍珠就會變成眞珍珠了。舊珍珠經過這樣的處理，也可變成新珍珠。

443 埋蜻蜓眼（僞製青珠法）

珠子出於河海，陸地豈能產珠？其實不然。若於五月初五那天，將蜻蜓捉來，摘下其頭，埋頭於朝西的門下，埋者三日不食，到了第三天，蜻蜓頭上的眼睛就會化成青色的珠子，與水中所產珠子無異，且顏色更鮮艷驚人。

——取材自《物類相感志》

——取材自《博物志》

【注】此說過於神話，毫無科學根據。

444 雞蛋漬酒（僞製琥珀絕技）

琥珀是珍貴之物，可當飾品佩帶，亦可入藥，爲人間罕有。但坊間也有僞製者，方法十分簡便：取一顆孵過的雞蛋，蛋內須黃白混雜，尚未成胚。將此雞蛋煮熟，等到似軟非軟還未變硬的時候，隨意去殼，然後刻成想要製作的形狀，再放到醋裡浸漬。數天後，去殼雕製的雞蛋即會變硬，其色呈半透明，內中並出現粉狀或彎曲如細絲的紋理，幾可以假亂眞。坊間用此法作僞，無不成功。

——取材自《神農本草經》

【注】「琥珀」原名「虎魄」，因古人認為它是老虎死後的魂魄入地所化成，另有一說是老虎流下的眼淚化成，甚至說是老虎臨死前的目光凝聚而成。其實琥珀乃松柏科植物的樹脂所形成的化石，最少有五千萬年的歷史，部分裡頭還含昆蟲或花、葉，不但為收藏家喜愛，有時更兼具學術價值。

445 蠟油畫龍（古鼎僞造祕術）

鑑古之難，是因僞製者手段太過高明，難以凡眼識破。人說「宋元之跡，大半贗鼎」，一點也不錯。

徐松（字星伯，清嘉慶年間進士）家藏舊鐵香爐一口，在西域時，曾僞製成古鼎，以假亂眞。據說蝕銅鐵的祕法爲：將鏹水（指鹽酸、硫酸、硝酸等腐蝕性很強的酸性化學藥劑）、眞硇砂及五倍子水混合，然後把銅鐵浸泡在裡頭，銅鐵必蝕無疑。徐松依此方，先以蠟油畫龍於舊香爐上，並題寫數字，然後將爐放進鏹水裡，一夜之間，鐵已熔一二分許，取出後，儼然如古鼎。

徐松後來攜此爐到京師，觀者紛紛誇讚道：「刀法如此厲害，非秦漢以後所能。」都斷定爲秦漢鼎器，無人知道這個所謂的「古鼎」，其實是由鏹水蝕成，鼎上之龍，僅脫於蠟胎而已！

446 愈擦愈舊（古銅器變舊祕術）

若想把紫銅器仿製成古銅器，最關鍵的是去掉紫銅的赤紅色，讓它變成古色古香的黝黑色。今有一法可爲：每天用油胡桃塗擦紫銅，然後再用硫磺復擦，過沒多久，紫銅就會慢慢地變成黝黑色，與古銅沒什麼差別了。此外，在塗油胡桃時，若先將銅器用炭火加熱過，效果會更好。

——取材自《竹葉亭雜記》

447 槐花搗汁（僞造古紙術）

將麵漿、槐花、蘇木、黑墨一起搗成汁染紙，然後將紙搥光，這就是造古紙的方法。

——取材自《古今祕苑》

448 新墨入炭（古墨僞造祕術）

若想將新墨仿造成古墨，有一法可用：將新墨置於微有餘溫的炭中，靜候十餘日，取出後，新墨上的油光便會消除，與古墨的顏色沒有兩樣，而且墨的膠性也除去，變輕許多，與

——取材自《福壽眞經》

古墨無甚差異。

——取材自《福壽眞經》

449 草薰火逼（古帖僞造術）

張思聰善於摹古帖，自名「翻身鳳凰」，最能以假亂眞。唐人蕭誠（唐代著名書法家），最拿手的是僞製古帖，他曾把自己的僞作拿給李邕（唐代著名書法家）鑑賞，並說：「這是王羲之的眞跡。」李邕審視良久，竟不疑有他，說：「這的確是眞跡。」後來蕭誠以實相告，李邕才恍然大悟，再仔細審視，不禁感嘆說：「無論我怎麼細看，仍無法辨僞，只覺稍欠精神而已。」

吳中有僞造古帖的高手，技藝更令人駭絕：先以豎簾舊粗竹紙，作夾紗拓法，再用草煙末香薰之、火氣逼脆本質，最後以香和糊，製造出古帖的臭味，望去全無一毫新狀，無論哪位識古帖的行家，都無法識破，可見僞造的高妙。

——取材自《考槃餘事》

450 清水浸漬（製贋畫絕技）

《銷夏錄》記載：清乾隆年間，蘇州王月軒以四百兩黃金，從平湖高家購得一幅名畫—

——高克恭（號房山，元代著名畫家）的「春雲曉靄圖」立軸。一張姓裱畫工見有利可圖，便用白金五兩買了半張側理紙（古紙的一種），裁而爲二，先以十金委託翟大坤（字雲屏，清代著名畫家）照「春雲曉靄圖」臨摹兩幅，再以十金委託鄭雪橋摹仿畫中款印，然後用清水浸透，實貼於漆几上，俟其乾後，再浸、再貼，一日二三十次，連續三個月而止，最後用白芨煎水蒙於畫上，滋其光潤。我（《青霞館論畫絕句》作者吳修）曾親眼見過這兩幅複製品，不但墨痕深入肌理，筆意也幾可亂眞，唯沉靜之氣稍遜，神韻稍嫌不足。

張姓裱畫工先裱裝一幅——由於原畫的綾邊上有「煙客江村」圖記，因此取「江村」題簽嵌於內。裱好後，他拿給畢瀧（字澗飛，爲清代著名的書畫鑑藏家）看，並僞稱眞品。當時畢瀧正在家養病，一見此畫，讚嘆不已，當即出八百金買下，等病癒起床細心審視，才發現是贋品，但已悔之莫及。

張姓裱畫工又按前法將另一幅裱好，攜至江西，陳中丞見了也未看出破綻，用五百金買下。如今此畫的眞本仍在吳門，無人過問。

——取材自《青霞館論畫絕句》

451 紅花紫草（僞造花梨木之術）

要想使雜木製作的家具變成名貴的花梨木家具，可用擦草蘸石灰濃汁，將雜木家具磨潔淨，曬乾後再煎紅花、紫草濃汁磨洗若干次，如此一來，雜木家具的顏色便與花梨木家具沒什麼差別了。另外也可用蘇木汁擦雜木家具，僞製效果同樣驚人。

——取材自《古今祕苑》

【注】花梨木為紫檀木的一種，結構細密、質地堅硬、不易腐爛，且具有美麗的色澤，為高級家具及鑲嵌裝飾的材料，價格昂貴。

452 柳松泡水（僞造楠木棺之術）

楚、夏之地有楠木，生長於深山窮谷之中，每株楠木的年歲無人知曉，更難測百年還是千年之齡，但如果它們被大風拔起，橫臥沙土中，竟可千年不朽。

楠木色紫、味香，用牙去咬則軟，用刀去削則捲。當地老百姓得到楠木後，都截木爲棺，以求入土水不能侵蝕、蟻不能挖作巢穴，因此每具棺材價值千金。但儘管價高，仍是可遇而不可求。有木商爲了圖利，便以絕技僞造：掘地作池，將煮過的柳松泡在池中，使其變色，與楠木無異。若色紋、氣味也相同，價值將超過千金。不過這種假楠木棺入土後，不下十年，即會與炭一樣腐朽。

——取材自《清稗類鈔》

【本書引用書籍一覽】

本書引用書籍一覽：

《一斑錄》，明，鄭光祖。
《七修類稿》，明，郎瑛。
《人參譜》，清，陸烜。
《大業拾遺記》，唐，顏師古。
《女科切要》，清，吳本立。
《山谷詩注》，宋，黃庭堅撰；宋，任淵等注。
《山居四要》，汪汝懋編寫；明，胡文煥校正。
《山堂肆考》，明，彭大翼。
《巾箱說》，清，金埴。
《仇池筆記》，宋，蘇軾。
《六一集》，宋，歐陽修。
《太平御覽》，宋，李昉等編。
《太平廣記》，宋，李昉等編。
《太清神鑑》，後周，王朴。
《文房肆考》，清，唐秉鈞。
《文海披沙》，明，謝肇淛。
《水窗春囈》，清，歐陽兆熊、金安清合著。
《仙拈集》，清，李文秉。
《古今祕苑》，清，磨墨主人輯。
《本草注》，南朝梁，陶弘景。
《本草綱目》，明，李時珍。
《玉壺清話》，宋，釋文瑩。
《玉管照神局》，唐，宋齊丘。
《白醉瑣言》，明，王兆雲。
《多能鄙事》，明，劉基。
《夷門廣牘》，明，周履靖輯。
《池上草堂筆記》，清，梁恭辰。
《竹葉亭雜記》，清，姚元之。
《考槃餘事》，明，屠隆。
《行廚集》，不著撰人。
《西清筆記》，清，沈初。
《宋景文公筆記》，宋，宋祁。
《宋稗類鈔》，清，潘永固輯。
《志雅堂雜鈔》，宋，周密。
《投荒雜錄》，唐，房千里。
《肘後備急方》，晉，葛洪。
《良朋彙集》，清，孫偉。
《酉陽雜俎》，唐，段成式。
《事林廣記》，宋，陳元靚。
《奇方類編》，清，吳世昌。

《奇效良方》，清，丁堯臣。
《宙載》，明，張合。
《抱朴子》，晉，葛洪。
《東坡志林》，宋，蘇軾。
《析疑指迷論》，元，牛道淳。
《武林舊事》，宋，周密。
《物類相感志》，宋，蘇軾。
《花鏡》，清，陳淏子輯。
《邵氏聞見後錄》，宋，邵博。
《金陵瑣事》，明，周暉。
《青霞館論畫絕句》，清，吳修。
《南中雜說》，清，劉崑。
《癸辛雜識》，宋，周密。
《相牛經》，春秋齊，甯戚。
《香乘》，明，周嘉胄。
《香祖筆記》，清，王士禎。
《家政法》，清同治年間刻本，不著撰人。
《容齋詩話》，宋，洪邁。
《格古要論》，明，曹昭。
《浪跡三談》，清，梁章鉅。
《浪跡叢談》，清，梁章鉅。
《浪跡續談》，清，梁章鉅。
《神農本草經》，魏，吳普等述；清，孫星衍、孫馮翼輯。
《茶經》，唐，陸羽。
《骨董瑣記》，民國，鄧之誠。
《寄園寄所寄》，清，趙吉士。
《寄蝸殘贅》，清，葵愚道人。
《庸庵雜記》，清，薛福成。
《庸閒齋筆記》，清，陳其元。
《清稗類鈔》，清，徐珂。
《混俗頤生錄》，宋，劉詞。
《淮南萬畢術》，漢，劉安。
《異物志》，漢，楊孚撰；清，曾釗輯。
《逍遙子導引訣》，明，逍遙子撰；明，周履靖校。
《猗覺寮雜記》，宋，朱翌。
《備急千金要方》，唐，孫思邈。
《博物志》，晉，張華。
《博聞錄》，宋，陳元靚。
《斯陶說林》，明，王用臣。
《朝野僉載》，唐，張鷟。
《游宦紀聞》，宋，張世南。
《鄉言解頤》，清，李光庭。
《開元遺事》，唐，王仁裕。

《傳家寶》，清，石成金編。
《暗室明燈》，清，深山居士原著；趙道人增補。
《楓窗小牘》，宋，袁褧。
《群芳譜》，明，王象晉。
《農桑輯要》，元，司農司。
《稗史彙編》，明，王圻輯。
《圖經本草》，宋，蘇頌。
《夢溪筆談》，宋，沈括。
《漢玉研究》，張景鯤輯。
《睡訣》，宋，蔡季通。
《福壽眞經》，清代刻本，不著撰人。
《閩小紀》，清，周亮工。
《齊民要術》，北魏，賈思勰。
《齊東野語》，宋，周密。
《增補致富奇書》，春秋越，范蠡撰；明，陳繼儒校訂；清，嚴逸叟增訂。
《廣陽雜記》，清，劉獻廷。
《廣雅》，魏，張揖。
《談藪》，宋，龐元英。
《養痾漫筆》，宋，趙溍。
《墨客揮犀》，宋，彭乘。
《墨娥漫錄》，宋，不著撰人。
《墨餘錄》，清，毛祥麟。
《蓼花州閒錄》，宋，高文虎。
《樹萱錄》，唐，劉燾。
《盧氏雜說》，唐，盧言。
《錦繡萬花谷》，宋，不著撰人。
《嶺外代答》，宋，周去非。
《嶺表錄異》，唐，劉恂。
《嶺海見聞》，清，錢以塏。
《臨漢隱居詩話》，宋，魏泰。
《避暑錄話》，宋，葉夢得。
《歸田瑣記》，清，梁章鉅。
《歸田錄》，宋，歐陽修。
《禮記》，漢，鄭玄注。
《雜五行書》，清同治年間刻本，不著撰人。
《簷曝雜記》，清，趙翼。
《證治準繩》，明，王肯堂。
《譚賓錄》，唐，胡璩。
《類證本草》，宋，唐愼微。
《續夷堅志》，金，元好問。
《鶴林玉露》，宋，羅大經。

國家圖書館出版品預行編目資料

生活偏方寶典／高峰編. --初版. -- 臺北
市：遠流，2005〔民94〕
面；　　公分. --（歷史新天地；43）

ISBN 957-32-5441-7（平裝）

1. 常識手冊

046　　　　　　　　　　94002198